LA FISSURE
de Aline Chamberland
est le cent quatre-vingt-unième ouvrage
publié chez
VLB ÉDITEUR.

Aline Chamberland
La fissure
roman

vlb éditeur

VLB ÉDITEUR
4665, rue Berri
Montréal, Qc
H2J 2R6
Tél.: (514) 524.2019

Maquette de la couverture:
Mario Leclerc

Illustration de la couverture:
Photographie tirée de la série «L'effervescence bleutée de la nuit»
(1980), réalisée par Marie-Andrée Cossette.

Photocomposition:
Atelier LHR

Distribution en librairies et dans les tabagies:
AGENCE DE DISTRIBUTION POPULAIRE
955, rue Amherst
Montréal, Qc
H2L 3K4
Tél. à Montréal: 523.1182
        de l'extérieur: 1.800.361.4806

Données de catalogage avant publication (Canada)

Chamberland, Aline
    La fissure
    2-89005-219-2
    I. Titre.
PS8555.H35F57 1985   C843'.54   C85-094165-2
PS9555.H35F57 1985
PQ3919.2.C52F57 1985

Dépôt légal — 3e trimestre 1985
Bibliothèque nationale du Québec
ISBN 2-89005-219-2

Elle était sale et laide, elle gisait au bord du trottoir, éventrée.

(«Je me suis arrêtée, dis-je à Luc, tout de suite arrêtée comme si je savais déjà, comme si...», lui dis-je, assise dans son bureau, essayant de retrouver le fil, de reprendre l'histoire depuis le début, depuis cet après-midi-là peut-être).

Je m'étais arrêtée, je l'avais regardée; je la regardais, sale et laide, je la regardais, en charpie, quand j'avais tout à coup reconnu la tête et le collier autour du cou.

C'était elle.

Elle tout à coup.

Je restais immobile au bord du trottoir, ne sachant pas quoi faire, c'était elle et je ne pouvais plus repartir, l'abandonner, le ventre grand ouvert, en pleine rue en plein jour; un passant de temps en temps s'arrêtait, regardait par-dessus mon épaule, repartait en grommelant; je ne bougeais pas; cette nuit, pouvais-je imaginer, ça s'était passé cette nuit, elle ne sortait que la nuit; le jour, elle passait son temps à dormir: «Vieille paresseuse», lui disais-je alors, m'arrêtant près d'elle couchée en boule sur le fauteuil, et flattant son dos roux, «vieille paresseuse», et sans ouvrir les yeux elle se mettait à ronronner.

Elle avait les yeux à demi ouverts, cet après-midi-là au bord du trottoir, et je ne bougeais pas, je ne savais pas quoi faire, et je me disais: heureusement Ève-Lyne n'est pas avec moi, elle se mettrait à pleurer, elle pleurerait, plus moyen de l'arrêter, pleurerait, crierait, voudrait peut-être même toucher la chatte, la toucher, la prendre, l'emmener (ce matin déjà, elle l'avait appelée en pleurant: «Pluche! Pluche!» appelait-elle, la tête dans la porte entrouverte, «Pluche! Pluche!» mais la chatte ne rentrait pas, miaulant et courant vers son plat de nourriture, elle n'était pas rentrée comme d'habitude, la porte était restée entrouverte un long moment et Ève-Lyne pleurait).

Dans son lit, Ève-Lyne pleurait peut-être en ce moment, m'appelait peut-être, à demi réveillée, à peine sortie de son lourd sommeil d'après-midi, et je me disais: quoi faire? quoi faire? je ne le savais pas, ne le savais pas encore en entrant dans la maison, cet après-midi-là, et en m'assoyant au salon près de Bruno; j'avais eu envie de lui parler, lui dire: La chatte... écrasée... à quelques rues d'ici... quoi faire? mais ce n'était pas le temps, il écoutait la télévision; il y avait un reportage sur le Salvador (paroles et images violentes, corps déchiquetés, tripes, sang), je n'avais pas parlé de la chatte, je m'étais assise avec lui et j'avais regardé; disparitions tortures assassinats au Salvador, ça s'ajoutait, se mêlait à la chatte au bord du trottoir, ça se remplissait de cadavres éventrés autour d'elle, disparitions, tortures, assassinats, ici, là-bas, tout s'embrouillait, quoi faire? quoi faire?

— Ça n'a pas de bon sens!

... ça m'avait échappé et Bruno avait dit d'une voix égale: «Là-bas ils sont habitués... ils en voient tous les jours... ça fait partie de leur vie.»

Assise avec lui devant la télévision qui étalait les morts du Salvador dans le salon, je n'avais rien ajouté; je songeais à Ève-Lyne endormie dans sa chambre, bien au chaud sous ses couvertures, qui se réveillerait bientôt, m'appellerait, et je n'avais rien dit; je ne parlais déjà plus à Bruno à ce moment-là, ou lui parlais à peine.

Elle ne m'appelait pas encore mais j'entendais des sons, une sorte de babillage venant de sa chambre; elle avait dormi plus longtemps que d'habitude, cet après-midi-là, et maintenant réveillée, elle bavardait avec ses animaux en peluche, attendant que j'ouvre la porte, que je vienne la chercher; si j'avais tardé, elle se serait mise à m'appeler d'une voix inquiète, puis de plus en plus pressante, larmoyante (parfois je tardais et elle m'appelait ainsi, parfois je tardais, je n'avais pas envie d'aller la chercher, j'avais juste envie d'être seule, seule pendant des jours, la laissant dans sa chambre pendant des jours, mais elle m'appelait et je finissais par y aller).

Et aux premiers babillages, sans attendre les appels ou les pleurs, j'étais montée la chercher.

J'avais ouvert la porte; assise dans son lit, elle avait levé la tête et tendu aussitôt les bras; je l'avais prise, elle riait, soulevée de son lit et serrée sur moi; elle riait et tout de suite après ne riait plus, s'impatientait, captive, donnait des coups de pieds, voulait aller à terre, marcher, courir, sauter à terre, mais je ne la laissais pas, je la gardais, je la protégeais, il le fallait... la protéger, c'est encore un bébé, la protéger, c'est dangereux à terre, dangereux partout, plein de chauffards, de kidnappeurs, d'assassins partout, ne pas la mettre à terre, ne pas la laisser aller toute seule...

(«Elle était encore petite, dis-je à Luc, petite, fragile, désarmée»; et comme s'il n'avait rien compris, comme s'il n'avait pas été là, patient, attentif, m'écoutant depuis dix ou quinze minutes peut-être, il demande: «Qui ça? de qui parles-tu quand tu dis ça?»).

...

Marcelle s'est levée, elle est debout devant moi.
— Je vais allumer, dit-elle. Il commence à faire sombre ici, tu ne trouves pas?

Elle se déplace dans la pièce.

— Pour lire en tout cas, ajoute-t-elle.

Elle se rassoit dans le fauteuil, s'étire, reprend son livre.

— Qu'est-ce que c'est? demande-t-elle, en montrant du doigt le livre que je tiens ouvert sur mes genoux.

— Ça... un bouquin prêté par mon professeur de dessin. Je pensais être bonne pour le finir avant le prochain cours mais... ça n'avance pas vite.

— C'est si passionnant que ça, le dessin? lance-t-elle en échappant un rire moqueur.

Ça ressemble à une plaisanterie mais je réponds quand même, sérieusement:

— D'habitude ça m'intéresse. Pas ce soir... je n'ai pas la tête à ça... j'ai de la misère à me concentrer... je pense à toutes sortes de choses.

Je dis: à toutes sortes de choses, parce que je ne sais
pas trop comment dire: je pense à Ève-Lyne, je ne sais
pas encore le dire simplement, sans rougir ni bredouiller;
alors je dis: à toutes sortes de choses, et quand je dis ça,
comme ce soir, Marcelle comprend, elle n'a pas besoin
d'autre discours, elle comprend tout de suite. Et elle se
tait.

C'est silence. Marcelle s'est remise à lire. Il faut qu'elle
lise beaucoup pour préparer sa thèse en service social.

Bruno était assis devant la télévision, ce soir-là, et il avait commencé à m'écouter mais je ne savais plus s'il m'écoutait, s'il m'entendait encore, à travers les verbiages de l'animateur; et je haussais le ton, j'essayais de parler plus fort, d'enterrer l'animateur tout sucre tout miel, je disais: «Elle est là-bas au bord du trottoir, écrasée, méconnaissable, là-bas exposée à la vue de tous les passants.» Il faisait un signe de tête, je continuais, je disais: «Ce n'est rien la ramasser avec une pelle, la mettre dans une boîte de carton, ce n'est rien l'enlever, la soustraire à tous ces voyeurs, farfouilleurs de tripes, qui remplissent les trottoirs le soir, ce n'est rien, c'est vite fait.» Il avait eu un mouvement, je croyais qu'il se préparait à se lever mais il avait juste haussé les épaules et, sans cesser de regarder la télévision, il avait dit de sa voix égale: «Elle est morte, voyons! au bord du trottoir ou ailleurs, quelle importance?»

C'était tout, il souriait maintenant, cet animateur tout sucre tout miel pouvait être si drôle quand il s'y mettait;

assis devant la télévision, Bruno souriait ce soir-là pendant qu'à côté de lui, triste et indécise, je ne savais plus quoi faire; mais ça n'avait pas duré; j'étais sortie, j'avais pris une pelle et une boîte de carton dans le garage, j'étais retournée voir la chatte à pied, à quelques rues de la maison.

Elle était encore là et, d'un coup de pelle, je l'avais ramassée, sans haut-le-coeur, sans recul ni hésitation, étonnée de si bien me contenir.

(Comme j'allais si bien me contenir près d'Ève-Lyne endormie, si bien me contenir des mois plus tard).

Bruno suivait une partie de hockey à la télévision, ce soir-là, pendant que je berçais Ève-Lyne dans la cuisine; la vieille chaise berçante craquait quand on y allait trop fort et je faisais exprès, j'y allais fort pour que ça craque, ça crie, ça couvre tous les bruits du salon, pour que ça enterre l'homme et sa télévision dans l'autre pièce; et je berçais Ève-Lyne qui ne savait pas pour Pluche, ne savait et ne saurait jamais parce que je ne lui dirais rien: elle la demanderait quelque temps, s'ennuierait quelque temps puis finirait par oublier; je ne lui dirais pas, c'était trop, la chatte éventrée au bord du trottoir, trop pour une enfant de deux ans; Ève-Lyne ne savait rien, elle riait et babillait pendant que je la berçais pour l'endormir, la berçant et chantant comme si elle savait tout, comme si elle était triste, comme s'il fallait que je la console.

Et je revoyais Pluche dans sa boîte de carton, seule dans cette vieille boîte qu'ils viendraient ramasser, jeter dans leur camion, mêler à plein d'autres ordures, Pluche qui allait rabougrir, sécher, se décomposer à travers des ferrailles, des restants de nourriture, du linge usé.

La chaise berçante craquait de plus belle et je chantais pour consoler Ève-Lyne qui ne savait pas.

J'étais montée la coucher dans sa chambre et je m'étais, tout de suite après, enfermée dans l'autre chambre; enfermée, barricadée presque, pour ne pas entendre la télévision en bas, son tapage, son vacarme, ne pas entendre tous ces cris de colère ou de triomphe qui sortaient de la télévision, que Bruno reprenait, qui montaient, m'assaillaient, me cassaient la tête.

Allongée sur le lit, je ne dormais pas; les bruits continuaient mais c'était maintenant lointain, confus, ça ne me dérangeait plus; je ne dormais pas, c'était une sorte de demi-sommeil et je ne savais pas si les bruits venaient encore d'en bas ou de moi, de ma tête fatiguée; j'étais bien, tout s'éloignait, s'estompait, j'étais de mieux en mieux; c'était à cause des pilules; le docteur avait dit: «La tension, le stress, ça arrive souvent avec un premier enfant...» Je l'avais écouté, j'avalais ses pilules, j'étais bien mais je ne dormais pas.

Je ne dormirais pas encore ce soir, malgré les pilules, et ça se passerait comme les autres soirs: Bruno monterait, se coucherait et j'attendrais dans le noir et quand je serais sûre qu'il dort, quand j'aurais entendu depuis un bon moment son souffle régulier, je me lèverais, et comme les autres soirs je descendrais sans bruit, sur la pointe des pieds, frileuse, grelottant un peu, m'accrochant à la rampe d'escalier; je descendrais, j'ouvrirais une bière, je m'assoirais à la table de la cuisine; une bière ou deux, attendant que ça vienne, buvant et me disant ça n'a pas de bon sens, pas de bon sens.

Deux bières ou trois et à la longue ça viendrait, je sentirais un poing se desserrer dans mon ventre, je me mettrais à pleurer, à pleurer enfin, doucement, silencieusement, dans la cuisine sombre; après, je remonterais; après, je pourrais dormir, ce soir-là comme tous les autres soirs.

«Elle était désorganisée, complètement désorganisée», disait Luc, répondant à la question de l'avocat et regardant le juge, «oui complètement désorganisée», répétait-il, et je souriais, comme j'avais souri en l'entendant annoncer solennellement, en le voyant avancer, bien coiffé bien habillé, je n'avais pu m'empêcher de sourire alors, c'était comme un jeu tout ça, un drôle de jeu; Luc m'avait souri aussi en entrant et on aurait dit qu'il souriait encore en s'installant là où on le lui indiquait, en levant la main droite et en répétant des formules comme on le lui demandait, qu'il souriait malgré tous ces étrangers autour de nous, ce juge sévère vêtu de noir, ces avocats curieux et bavards.

«Vous connaissez l'accusée?» questionnait l'avocat, comme s'il ne savait pas déjà, et me désignant, il demandait à Luc: «En tant que psychologue, pouvez-vous nous expliquer l'état dans lequel se trouvait l'accusée au moment du drame?»... Luc ne répondait pas tout de suite, toussotait, prenait son temps, il y avait un long silence et je...

Et l'accusée souriait.

...

Marcelle échappe un cri.

— Ça t'a fait peur? Excuse-moi.

Je me penche pour ramasser le livre tombé par terre.

— C'est rien, dit-elle. J'étais tellement absorbée dans ce que je lisais... ça m'a semblé un coup de fusil. Pas étonnant... mon livre est plein de fusils et de bombes.

Elle rit un peu et reprend sa lecture.

Je feuillette mon livre, cherchant, essayant de retrouver la page à laquelle il était ouvert tout à l'heure. La voici, la page où l'on parle des ombres, OMBRES GRISES ET DÉGRADÉS EN DESSIN, et je tente de reprendre l'explication. Les lettres, les mots, les lignes bougent, ondoient un peu et c'est tout, ça s'arrête là, rien ne se passe. Je perds le fil au fur et à mesure.

Je jette un coup d'œil à l'horloge du salon, il est vingt heures. Nous avons fini le souper et la vaisselle depuis un moment, la soirée commence à peine. On n'entend ni télévision ni radio, Marcelle dit qu'elle ne peut lire que dans le silence (un silence d'église, dit-elle) et j'aime ce silence, lorsqu'il est vingt heures, que Marcelle lit et que tout me revient.

«**E**n tant que psychologue, diriez-vous... croyez-vous...» questionnait l'avocat pendant qu'assise un peu à l'écart, je regardais le juge qui, sans se laisser distraire par les bruits ou le va-et-vient, écoutait, opinant de la tête, plissant parfois les yeux, écoutait presque aussi bien que... que Luc m'écoute.

Psychologue, ça ne veut rien dire quand je vais voir Luc, on n'en parle même pas; je sonne, j'ouvre la porte, j'attends et il arrive bientôt, il dit: «Salut, comment ça va?» mais il ne dit pas ça juste pour la forme, ça se voit tout de suite. (Une fois, je ne sais pas pourquoi, il a dit qu'il était content de me voir, comme ça tout bonnement, debout devant la porte, il a dit: «Je suis content de te voir» et moi, surprise, ébranlée ou je ne sais quoi, je m'étais mise à pleurer... c'était dans les premiers temps, quand je pleurais pour rien.) J'entre dans le bureau, je m'assois en face de lui, rien entre nous, rien qui nous sépare, l'un et l'autre assis dans de larges fauteuils, se regardant, et j'attends; il y a un chevalet dans un coin, des gens viennent peut-être ici dessiner, et un matelas le long du mur, des gens viennent peut-être ici se reposer, mais moi je ne dessine ni ne me repose jamais, je m'assois et j'attends; je ne sais par où commencer et d'habitude Luc commence, il dit quelque chose comme: «T'as passé une bonne semaine?» ou: «Tes cours de dessin, ça va?» ou: «Es-tu toujours bien avec Marcelle?» quelque chose de simple, banal, quotidien.

Une question, question de rien, et c'est comme s'il jetait une passerelle, ça me donne un élan, un air d'aller, je réponds: «Oui oui, ça va bien», et je commence à parler; je parle, tout s'enchaîne, je parle, j'ai mille choses à dire, mille choses tout ensemble, tout en même temps, mille choses, personnes, histoires oubliées, ou plutôt cachées, reléguées je ne sais où ni comment, qui sortent à la queue leu leu; et je dis: «Ma mère... Bruno... Ève-Lyne...» je les mêle, les démêle, je parle et ça n'a plus rien à voir avec la question de Luc.

Je ne dessine ni ne me repose jamais, je parle.

Il m'écoute et ça appelle les mots, d'autres mots, les mots ne me lâchent plus, déboulent (averse, torrent, avalanche), rien pour arrêter ça, dirait-on, et pourtant, et parfois, le regardant, lui parlant, j'aperçois soudain quelqu'un d'autre assis à sa place, ça arrive parfois, ça arrive soudain comme un coup en plein ventre, sec, brutal, un bon coup dans le ventre et j'arrête net de parler.

Plus un mot, une vraie tombe.

Et il y a la voix de Luc qui m'appelle au loin «Élaine... Élaine... qu'est-ce qui se passe?... quelque chose qui ne va pas?» qui s'inquiète, et bas, tout bas, je dis:

(«...Julien», dit-elle à voix basse, faiblement, si faiblement qu'il doit se pencher en avant pour entendre, dit-elle bas, tout bas, comme si elle parlait à elle seule, comme s'il n'était plus là dans cette pièce, patient, attentif, prêt à tout entendre, tout comprendre, patient, attentif parce que c'est son travail et parce qu'elle en a besoin, elle et tous les autres qui viennent ici chaque jour parler, crier, pleurer, se plaindre, et il les écoute tous, c'est son travail, mais pas seulement son travail, c'est quelque chose d'autre, indéfinissable, quelque chose comme... et il se penche en avant, il n'est pas sûr d'avoir bien entendu, et à voix basse, faiblement, elle dit...)

«...Julien», dis-je, le revoyant comme en ce temps-là, comme la première fois:

J'ai bien fait d'arrêter ici, pensais-je, m'assoyant, posant mon sac de provisions par terre et faisant d'un coup d'œil le tour de la pièce, c'est frais, tranquille, j'ai bien fait; j'avais déjà moins chaud et pour cette raison, ou par habitude, sans trop y penser, j'avais demandé un café, ni sucre ni lait, un café noir, puis je m'étais mise à regarder les dessins au mur, une dizaine de dessins encadrés, exposés, devant et derrière moi: des visages, que des visages, des têtes dessinées au fusain, au crayon ou à la plume; je les regardais, me tournant, me retournant pour voir les détails et me disant: c'est une femme; il n'y avait pas de raison, un homme aurait aussi bien pu les dessiner, choisir le même sujet, la même façon de faire, mais je regardais ces têtes apeurées, tristes ou rieuses, toutes ces têtes, en continuant à me dire malgré moi: c'est une femme, j'en suis sûre; il n'y avait qu'un moyen d'en avoir le cœur net: me lever, m'approcher d'un dessin, lire la signature.

Mais je n'avais pas envie de me lever et je buvais mon café, assise seule dans le café silencieux; j'ai bien fait d'arrêter ici, me disais-je encore, mais cette idée de prendre un café, ce n'est pas ça qui va me rafraîchir; je voyais en même temps les gens passer de l'autre côté de la vitre, c'était avril, les premières chaleurs d'avril, et les gens passaient, marchant à petits pas, manches retroussées, chandail jeté sur les épaules, marchaient sans se presser, flâneurs improvisés, c'était le printemps, on n'en doutait pas, et je finissais mon café, assise seule de mon côté de la vitre, observatrice, spectatrice; j'étais bien comme ça, je n'avais pas envie de bouger, de me lever, de partir; pas tout de suite, me disais-je, rien ne presse, Ève-Lyne dort bien au chaud sous ses couvertures, la gardienne lit, tricote ou somnole, rien à craindre, là-bas tout est calme, pas tout de suite.

— Un autre café, s'il vous plaît.

Bonne dessinatrice, me disais-je, elle a du métier ça se voit, ces ombres, ce trait souple, ce n'est pas la première venue qui..., me disais-je en détaillant le grand dessin juste devant moi sur le mur, cette tête d'enfant rieur, non ce n'est pas la première venue qui..., et j'avais à peine jeté un coup d'œil à la porte qui s'ouvrait, à l'homme qui entrait.

(Dessinatrice, c'était une sorte de rêve ou d'idée fixe, c'était toujours là dans ma tête, possible, faisable, et je le disais, c'est ce que je n'arrêtais pas de leur dire à quinze ou seize ans quand ils me demandaient ce que je voulais faire plus tard: «Dessinatrice», répondais-je alors, butée, défiante, provocante même, répondais-je malgré tout, malgré la suite, connue, invariable, malgré leurs regards amusés et leurs sourires en coin: «Dessinatrice, c'est pas un métier ça, c'est un passe-temps», reprenaient-ils chaque fois avec indulgence; je grognais, marmonnais quelque chose comme: «Pas de vos affaires», et je partais en claquant la porte, voyant déjà le visage irrité de ma mère quand je rentrerais le soir, entendant déjà son début de remontrance: «Tu n'as pas été plus polie qu'il faut avec la visite...» mais je ne l'écouterais pas, ne la laisserais pas finir, j'irais dans ma chambre, je me coucherais et là, bien couchée, cachée, enfouie sous les draps, la main entre les cuisse, je...).

— Un café!

Ce mot, tombé dans le silence, m'avait fait sursauter (oui, ça s'est passé comme ça ce jour-là, la première fois avec Julien, je suis assise dans ce café, perdue dans mes pensées, il y a cette voix soudain) et sursautant, je m'étais tournée vers la voix; l'homme à côté de moi avait souri:

— Drôle d'idée de prendre un café par une journée pareille... je suis un vrai maniaque... au moins cinq, six tasses par jour.

Il avait regardé ma tasse et ajouté, un peu moqueur: «Tiens tiens, on dirait que je ne suis pas le seul.» Il continuait à parler: «Belle journée... le soleil... le printemps...» et je l'écoutais, étonnée qu'il trouve tant à dire à une inconnue; il n'y avait que nous deux dans le café, que sa voix: «Belle journée, je suis content d'avoir fini mes cours de bonne heure...» et il bougeait tout le temps en parlant, riait pour rien, joyeux, à cause du beau temps ou de ses cours ou peut-être l'était-il par nature, joyeux, rieur, de bonne humeur, comment savoir?

Mais joyeux, et je m'y laissais prendre, suivant son bavardage, riant de l'entendre rire; tournée vers lui, je ne sentais plus le soleil que dans mon dos alors que lui, face à la vitre, plissait les yeux, rougissait, se déplaçait sur sa chaise comme si toute cette chaleur l'incommodait: «Professeur de philo... oui au cégep... imagine un peu ce que...» disait-il, me tutoyant comme il devait tutoyer ses étudiantes et étudiants, me racontant toutes sortes d'histoires drôles, moins drôles, qui s'étaient passées ou se passaient au cégep durant les cours, en dehors des cours, et tout ça l'amusait, m'amusait aussi, mais parfois il cessait de rire, s'assombrissait et, la voix triste, disait: «Pauvres enfants», et on aurait cru alors que le cégep rapetissait, rajeunissait, que le cégep devenait soudain garderie ou maternelle quand il disait, la voix triste: «Pauvres enfants.»

Il parlait depuis je ne sais combien de temps et je l'avais écouté, ne faisant que ça tout ce temps, l'écouter et rire avec lui et dire oui oui, en changeant un peu l'inflexion de ma voix, étonnée, inquiète, amusée, selon ce qu'il disait; je l'écoutais depuis le début, d'abord prise, surprise dans ce flot de paroles, puis en sortant peu à peu, en sortant juste assez pour craindre ce qui venait, ce qui allait arriver quand il se tairait, craindre sans pouvoir rien dire ou faire d'autre que me répéter sans arrêt: pourvu qu'il n'arrête pas, qu'il n'arrête pas.

Mais il s'était tu.

Il se taisait, rien n'était plus pareil; et dans le silence qui se prolongeait, il avait tout à coup demandé d'une voix enjouée: «Toi, Élaine, qu'est-ce que tu fais? qu'est-ce qui t'intéresse?...» et j'avais su aussitôt que c'était perdu; je n'avais rien à dire, j'étais perdue; j'avais souri un peu, sourire faux, forcé, qui s'était arrêté à mi-chemin et ça ne devait pas être très beau, ça devait ressembler plus à une grimace qu'à autre chose, cette contorsion de la bouche faite machinalement pour sauver la face, gagner du temps ou je ne sais quoi; j'allais parler, je ne voulais pas mais ça se ferait quand même, je n'avais pas le choix, je ne pouvais pas me lever et m'enfuir comme une voleuse, j'allais lui parler.

Parler de Bruno et d'Ève-Lyne, quoi d'autre? il n'y avait que ça à dire, que ça dans ma vie, Bruno et Ève-Lyne, petites journées petite vie, que ça, et il allait écouter par politesse, écouterait un peu, ne pouvant s'empêcher de bâiller («La chaleur», dirait-il), de regarder de tous côtés, et il finirait par s'excuser, par trouver une raison, n'importe laquelle, une visite ou un téléphone à faire, n'importe quelle raison pour se lever et partir; je ne voulais pas qu'il parte mais quoi faire? quoi dire pour le capter, l'intéresser, le garder encore?

— Moi, je dessine.

... ç'avait été rapide, inattendu; j'avais jeté un coup d'œil aux dessins sur les murs et les mots étaient venus aussitôt: Moi, je dessine; je ne dessinais plus, j'avais cessé de dessiner depuis des années, depuis Bruno, le mariage, Ève-Lyne, mais il fallait dire quelque chose au plus vite, l'empêcher de partir, et c'est ce que j'avais trouvé de mieux, moi je dessine, et j'avais su aussitôt que je tombais juste: Julien avait écarquillé les yeux, s'était rapproché, et il y avait une sorte de curiosité, d'intérêt dans sa voix quand il avait repris: «C'est vrai, tu dessines? ça doit être passionnant, j'ai toujours envié les gens qui dessinent, qui peignent.»

...

La sonnerie du téléphone, une fois, deux fois, criarde, irritante.

Ce n'est pas pour moi, je ne bouge pas. Marcelle se lève (elle a des amies qui travaillent ou étudient avec elle et on dirait qu'elles n'ont pas assez de se voir, de se parler toute la journée, elles se téléphonent le soir, parlent longtemps et Marcelle en profite pour glisser un mot sur sa thèse; cette affaire de thèse m'ennuie, j'essaie de ne pas écouter, de jongler à autre chose quand elle en parle au téléphone, mais c'est difficile, il y a toujours des fuites, un mot ou l'autre — «Cooper... conditionnement... déstructuration» — qui échappe et réussit à passer; Marcelle sait combien cette affaire de thèse m'ennuie, elle l'a vu la première fois où elle a voulu m'en parler, insistant pour m'en lire un bout et commençant à lire pendant que je regardais par la fenêtre, bâillais aux corneilles et poussais des soupirs, elle le sait et ne m'en parle plus).

Marcelle se lève, comme chaque soir quand le

téléphone sonne. C'est une de ses amies, Maude, Nicole ou une autre. Ce n'est pas pour moi, je ne bouge pas. Ce n'est jamais pour moi, qui m'appellerait?

Qui ça pouvait bien être?
— Tu ne me reconnais pas? (disait-il, au bout du fil) cherche un peu (disait la voix d'homme qui ne m'était pas inconnue et je cherchais, j'avais beau cher-cher...), ça ne te revient pas? Je vais t'aider, premier indice (il éclata de rire): la semaine dernière au café...

Mais je l'avais déjà reconnu, avant même qu'il parle du café, dès que j'avais entendu son rire, j'avais reconnu Julien, me demandant presque en même temps comment, pourquoi il pouvait être là tout à coup au bout du fil.

(Le temps passait, au café, et je m'y attendais, c'était bien beau parler dessin mais ça ne pouvait pas durer des jours, et comme je m'y attendais, il avait fini par s'excuser: il regrettait, disait-il, mais il devait partir, il aurait aimé continuer la conversation, mais il devait absolument par-tir, un souper, quelque chose d'impossible à remettre, et si je pouvais lui laisser mon numéro de téléphone, on verrait à... on s'arrangerait pour...; je ne l'écoutais que d'une oreille, me disant: politesses, mots de circonstance, il joue le jeu c'est tout..., mais j'avais pris le stylo et le carton d'allumettes qu'il me tendait, hésitante d'abord (si Bruno...) puis n'hésitant plus et griffonnant mon numéro de téléphone: ce n'est rien, juste pour la forme, un carton d'allumettes qui sera jeté à la poubelle, oublié sur une table, donné, perdu, ou quoi encore.

... tous ces numéros de téléphone griffonnés à la hâte en journée, en soirée, au petit matin, au bord d'une table, d'une porte ou d'un lit, tous ces numéros griffonnés sur des cartons d'allumettes, paquets de cigarettes, bouts de papier, napperons qui sont ensuite jetés, oubliés, perdus...

Et ce serait pareil, il n'y repenserait plus, jetterait son carton d'allumettes vide, demain ou après-demain, et ce serait tout, ça n'irait pas plus loin, comme tous ces numéros de téléphone griffonnés...).

Il était là, au bout du fil, aussi bavard, aussi rieur qu'au café; c'était l'après-midi, je venais juste de coucher Ève-Lyne, de redescendre l'escalier, et j'avais répondu dès la première sonnerie du téléphone: il y avait eu cette voix d'homme, cette voix et ce rire que je reconnaissais de mieux en mieux.

Il y avait en même temps cette chose qui se réveillait soudain, remuait, me prenait par surprise, une sorte d'élan, désir venu je ne sais d'où, de sa voix ou de mon ventre, je ne savais pas, c'était étrange, cette chose qui s'agitait, m'agitait, ce trouble, et j'essayais de ne pas m'en occuper, de faire comme si ça n'était pas là, de l'oublier pendant qu'il parlait.

Il parlait beaucoup, comme au café, racontant les événements amusants de sa semaine pendant que je me demandais comment ou de quoi sa vie était faite pour qu'il s'y passe tant de choses amusantes, à moins que ce ne soit la vie dans les cégeps qui... mais je ne lui avais pas posé la question, ne l'avais pas interrompu, c'est lui qui s'était arrêté de parler tout à coup pour demander: «Et toi? ton dessin? ça va comme tu veux?...»

«Demain après-midi», avait-il dit avant de raccrocher, «demain au même café»; et sans prendre le temps de m'arrêter, de réfléchir, à cause de ce trouble qui ne me laissait pas peut-être, j'avais dit oui; «oui je serai là», vite trop vite dit, et au lieu de commencer la vaisselle ou le balayage comme d'habitude, je m'étais assise près de Pluche endormie sur son fauteuil; je restais là, ne sachant pas quoi faire, voulant et ne voulant pas tout à la fois; j'aimais m'imaginer avec lui, le voir parler et rire encore dans ce café tranquille mais j'hésitais.

À la fois voulant et ne voulant pas, ne sachant plus quoi faire pendant que Pluche, roulée en boule sur son fauteuil, se laissait flatter et ronronnait.

«Demain après-midi au même café», avait-il dit, et il avait ajouté: «Si tu en as envie, apporte des dessins, j'aimerais ça voir ce que tu fais.»

J'étais bien prise, cet après-midi-là.

Et bien prise, ce soir-là, des mois plus tard:

Nous étions perdues, Ève-Lyne et moi, mais elle n'en savait rien, elle dormait, bouche entrouverte, poings fermés, au chaud pour la nuit sous ses couvertures; elle ignorait tout mais ça ne tarderait pas, quelques années encore et ça commencerait et elle aussi... et ouvrant ma troisième ou quatrième bière, je me disais: ça va passer,

tout passe, c'est la vie, il faut s'y faire; puis tout de suite
après, agitée, révoltée: ça n'a pas de bon sens, pas de bon
sens; mais je n'étais capable de rien faire, ni de pleurer,
après la troisième ou quatrième bière, ni de dessiner;
j'avais repoussé mes feuilles et mes crayons au bout de la
table, il fallait appeler quelqu'un, n'importe qui, appeler
Julien et le réveiller ou appeler Bruno et interrompre sa
partie de hockey, appeler quelqu'un, prendre mon souffle
et dire d'un seul trait: «Viens, viens, tout de suite, ça
presse...» ne dire que ça, rien d'autre, je serais incapable
d'en dire plus, il n'y a que ça qui passerait; mais il était
tard, mieux valait une quatrième ou une cinquième bière
puisqu'appeler ne servait à rien, puisque j'entendais déjà
l'autre (Bruno ou Julien), sa voix agacée, impatiente
quand il répondrait: «Calme-toi, ça peut attendre, demain
demain.»

Mais ça ne pouvait plus attendre et parlant de ce
temps-là:
«Elle ne tuait pas sa fille», disait Luc, pendant que je
guettais le sourire qui allait d'un moment à l'autre crever le
masque impassible du juge, il allait sourire, je le savais, il
ne pourrait s'en empêcher, pas un sourire franc, amusé,
qui n'échapperait à personne, mais autre chose dont les
autres ne s'apercevraient même pas, ce ne serait peut-être
qu'un mouvement des lèvres vite réprimé, une sorte de tic
aussitôt contrôlé, et je serais seule à voir, à savoir que lui
aussi, lui comme les autres, lui malgré tout... et je guettais,

j'attendais ce signe condescendant, qui ne pouvait pas ne pas apparaître puisqu'il avait tous les papiers devant lui: photos, résultats d'enquête, rapport d'autopsie, tous les papiers, toutes les preuves, tout ce qu'il fallait pour le faire sourire aux propos de Luc.

Mais le juge n'avait pas souri, ni bronché, ni même froncé les sourcils, il continuait à écouter, tout le monde écoutait la voix de Luc qui reprenait dans le silence: «Elle ne tuait pas sa fille, elle détruisait la partie d'elle-même qu'elle...»

Et je...

Et comme si on n'était pas en train de parler d'elle, comme si elle ne comprenait pas très bien ce qui se passait, l'accusée souriait.

...

« **E**s-tu sérieuse, es-tu sérieuse?» dit Marcelle. Elle part à rire, son rire emplit la pièce et je pense: Maude, ce doit être Maude. Elles ont toujours de drôles de choses à se raconter, ces deux-là, des histoires de travail qui me font rire parfois quand Marcelle m'en parle. Mais parfois je trouve ça moins drôle, je dis: «C'est pas drôle, c'est méchant, on ne rit pas de ces choses-là.» Marcelle prend alors un air tout étonné, hésite, et finit par dire: «Si tu travaillais avec nous, tu en verrais de toutes les couleurs... des fois il faut en rire veux-veux pas... on y laisserait notre peau à tout prendre au sérieux dans ce travail-là.»

Et pourtant...

Elle ne devait pas rire quand Luc lui a parlé de moi, la première fois, quand il lui a tout raconté. Je ne sais pas ce qu'elle a dit, ce qu'elle a fait alors, mais elle ne devait pas rire, pas plus qu'elle ne riait lorsqu'elle m'a vue arriver chez elle avec ma valise et mon air renfrogné (vivre chez cette femme, cette inconnue, ils m'obligeaient à vivre chez elle). Et mes silences, mes absences, mes pleurs des premiers temps, ça ne la faisait pas rire non plus. Elle ne disait rien mais je la voyais parfois (ne la voyant pas la plupart du temps mais, au sortir de mes silences, de mes absences, de mes pleurs, la voyant parfois) assise près de moi, attentive, inquiète, un peu triste peut-être.

Si je me rappelle bien.

Ce n'était pas facile, ces téléphones, ces rendez-vous, ces rencontres à la sauvette, et faire garder Ève-Lyne, au dernier moment parfois, pour aller le retrouver, et avec ça la crainte: si Bruno...

Quand le lui avais-je dit?

Quand lui avais-je parlé de Bruno et d'Ève-Lyne? Pas la première fois, ni les fois suivantes, plus tard, c'était chaque fois remis à plus tard; je me disais: il faudrait lui en parler, ce serait plus honnête, plus facile... mais je n'y arrivais jamais: si tout s'arrêtait à ce moment-là, avec ces mots-là, si tout s'arrêtait net, brisé, fini, plus rien que du temps mort, non, plus tard, la prochaine fois, il sera toujours temps, ça ne presse pas.

Plus tard...

J'étais couchée avec Julien dans cette chambre d'hôtel où je le retrouvais depuis quelque temps, c'était en mai ou juin, fin mai peut-être, il avait fini ses cours, il était en vacances; il faisait chaud cet après-midi-là dans la chambre aux rideaux fermés, on ne savait plus grand-chose du dehors, ni l'heure qu'il était ni depuis combien de temps... et ayant envie de fumer, il s'était redressé et adossé à l'oreiller pour allumer une cigarette; j'avais posé ma tête sur son ventre, c'était mou, je ne le voyais plus, la tête cachée dans son ventre, je l'entendais seulement, mais pas comme d'habitude, pas sa voix vive, enjouée, mais en même temps que celle-ci, prenant plus de place que celle-ci, une autre voix sortie de son ventre, une voix différente, sourde, caverneuse, et ces deux voix entremêlées disant et ne disant pas la même chose, résonnaient étrangement.

— Trois mois de vacances, ça se prend bien... j'avais besoin de ça... ç'a été toute une année... des groupes d'étudiants pas toujours faciles...

J'avais envie de rire, je riais doucement pendant que lui, tout occupé à parler, ne s'apercevait de rien; c'était drôle, la tête dans son ventre, l'entendre de loin et entendre en même temps son autre voix se promener dans son corps, le faire vibrer, me faire vibrer, mais ce n'était pas seulement par mes oreilles collées à son ventre que l'autre voix entrait, elle arrivait de partout à la fois par ondes, oscillations, secousses, et je restais là, cachée dans son ventre mou, à l'écouter: «Pas toujours faciles, disait-il, je méritais bien des vacances...»

Dans la chambre d'hôtel où il faisait chaud et sombre, cet après-midi-là, j'avais soudain relevé la tête lorsque sa voix avait changé, se faisant prudente, hésitante; maintenant redressée, je le regardais droit dans les yeux pour voir, pour savoir, mais il n'y avait rien, aucun signe, rien d'inhabituel, peut-être même souriait-il.

Je ne sais plus, je me rappelle surtout la voix.

Sa voix qui avait continué à fléchir quand il avait dit lentement: «Je pense faire un petit voyage... partir, changer d'air, profiter de l'été... cinq ou six semaines». «Cinq ou six semaines», avais-je répété, encore incrédule; il avait fait un signe de tête et repris de sa voix coutumière: «Les provinces maritimes, oui, ça m'intéresse...» pendant qu'à côté de lui, muette, glacée, je ne comprenais pas ce qui arrivait, comment, qu'est-ce qui...

À côté de lui.

Incapable d'un geste ou d'une parole, retenant mon souffle et pourtant affolée, abandonnée à tous les mouvements, les cris du dedans, mais muette, glacée malgré ces mouvements désordonnés et ce grouillement; et moi? et moi? criais-je sans qu'aucun son ne vienne, et moi?... et cette envie tout à coup furieuse, dévorante, de l'aggripper, m'accrocher, me coller à lui et le tenir, ne plus le lâcher, cette envie, mais privée de jambes, de mains, de bouche, l'envie et rien d'autre.

«Je ne pars pas tout seul, continuait-il d'une voix de nouveau adoucie, ça me coûtait de t'en parler... c'est toujours délicat ces choses-là... j'aurais peut-être dû le faire avant... délicat, tu comprends... je ne voudrais surtout pas que ça change quelque chose pour nous deux... je pars avec ma femme... oui oui je suis marié... j'aurais dû...»

J'avais eu envie de rire, pas longtemps, un court moment, un rire mauvais, sournois, qui s'était glissé je ne sais comment, avait grossi, pris de la place et un court moment c'était là, plein ma bouche, je n'avais qu'à desserrer les dents, c'était là, prêt à éclater; mais je n'avais pas voulu ça, me laisser aller à ça, ce rire strident de sorcière, devant lui.

C'était là un court moment et le moment d'après, c'était disparu.

Ce jour-là, dans la chambre d'hôtel chaude et sombre, j'avais parlé pour la première fois de Bruno et d'Ève-Lyne, non pas hésitante et bafouillante comme je l'avais imaginé si souvent, mais dure, glacée.

Cinq ou six semaines... et quand il avait téléphoné à son retour, rieur et bavard, demandant si j'avais reçu ses cartes postales, disant qu'il s'était ennuyé, qu'il fallait se voir vite, au plus vite, qu'il avait hâte, et plein de choses à me raconter, et une surprise, oui une surprise, mais il ne pouvait pas en dire plus long, pas se trahir, à quelle heure pouvais-je... disant tout ça de sa voix enjouée, on aurait dit soudain qu'il n'avait pas été vraiment parti tout ce temps, que rien n'avait changé, et une sorte de chaleur m'était revenue peu à peu, effaçant le reste, les cinq ou six semaines d'absence et les soirs où j'attendais que Bruno s'endorme pour descendre à la cuisine, ouvrir une bière ou deux ou trois, ayant de moins en moins envie de remonter me coucher et me disant dans le noir: cinq ou six semaines, ça n'a pas de bon sens, pas de bon sens.

...

— **T**u sais qui c'était? demande Marcelle en s'assoyant
par terre.

— C'était Maude.

Elle me regarde, surprise. J'ajoute: «C'est facile, juste à
vous entendre parler...» Elle sourit, plie ses jambes, les en-
toure de ses bras et ainsi recroquevillée, le menton écrasé
sur les genoux, elle se tait, pensive.

J'attends qu'elle parle.

Il y a eu des soirs, elle s'en souvient peut-être, de ces
soirs, les premiers temps, où elle s'assoyait comme ça,
par terre à côté de moi, assise ou accroupie, ayant envie
de parler, des choses à raconter, à demander, je ne sais
pas; mais je ne la laissais pas faire, ne lui donnais pas le
temps, je me disais: non non pas ça, je me levais d'un
bond et courais m'enfermer dans ma chambre... non non,
pas encore parler, expliquer, justifier, pas encore ça,
qu'elle me laisse tranquille, qu'ils me laissent la paix... enfermée dans ma chambre à faire les cent pas, à
m'assoupir par moments, à me dire que je ne ressortirais

plus, jamais plus, jusqu'à ce que la faim... et lorsque je res-
sortais, l'estomac vide, que je la trouvais en train de préparer le repas et qu'elle me disait: «Peux-tu mettre la table,
s'il te plaît, Élaine?», comme s'il ne s'était rien passé, je ne
savais plus si je n'étais restée que quelques heures ou des
jours entiers enfermée dans cette chambre.

Recroquevillée, le menton écrasé sur les genoux, elle
s'en souvient peut-être.

Je ne savais rien d'elle, pas même son nom, et je n'en voulais rien savoir; qu'elle reste une inconnue, une ombre, deux mots à peine dans la bouche de Julien quand il disait: ma femme; il parlait rarement d'elle, je ne le laissais jamais faire; quand il disait: ma femme, je l'arrêtais tout de suite, je lui coupais sèchement la parole, disant: «Ça ne m'intéresse pas», et je détournais la tête; je ne voulais rien savoir de cette femme, ni son nom ni ce qu'elle pouvait dire, faire ou penser, ça n'avait rien à voir avec moi, je ne voulais pas en entendre parler.

«Ça ne m'intéresse pas», disais-je alors d'un ton sec, me détournant ou m'éloignant, et bien vite il se mettait à parler d'autre chose.

Mais cette fois-là (pas notre première rencontre depuis son retour de voyage, non, la première avait été différente, ç'avait été fête et folie, mais un peu plus tard, peut-être la troisième ou quatrième rencontre après son retour, je ne sais pas au juste, et cette fois-là...) quand il avait dit: «Ma femme», j'avais dit comme d'habitude: «Ça ne m'intéresse pas», mais au lieu de se taire, faisant le sourd, celui qui n'a rien entendu, il avait continué: «... est enceinte».

Et il continuait, se couchait, me couchait sur le lit tout en parlant, parlait sans arrêt mais ça n'avait pas d'importance, tout ce qu'il pouvait dire, ça n'entrait pas, ça restait dans l'air partout autour de nous; il répétait: «Ça ne change rien, Élaine, ça ne change rien...» et les mots restaient là, suspendus entre nous, mots flottants, mots en l'air; il avait beau parler, promenant ses mains sur ma peau, ça ne passait pas au dedans.

— Ça ne change rien, Élaine... nous deux, c'est pas pareil, tu le sais... ça ne changera rien... rien de rien... ça va être comme avant, on va continuer comme avant... c'est pas ça qui peut nous déranger.

Continuant à parler, à caresser dans le vide, alors que ça ne servait à rien; j'avais les oreilles et la peau bouchées, tout passait à côté mais il ne s'en apercevait pas et continuait avec ses mots et ses doigts de traître.

Je ne savais rien d'elle mais je l'imaginais maintenant, l'image me revenait tout le temps lorsque j'étais seule et même lorsque je n'étais pas seule, occupée à jouer avec Ève-Lyne ou à écouter les histoires syndicales de Bruno, l'image venait tout à coup et je pouvais la voir, pas son visage, la couleur de ses yeux, de ses cheveux, jamais ça, jamais comme ça, mais son ventre; je voyais le ventre de cette femme, cette inconnue, je le voyais clairement, il n'y avait que ça dans l'image, cette femme n'était que ça, un ventre.

C'était facile à imaginer, le soir surtout quand je redescendais de la chambre d'Ève-Lyne, traversais le salon où Bruno était installé devant la télévision et m'assoyais dans la chaise berçante de la cuisine; seule le soir, me berçant, essayant d'oublier les voix du salon, c'était facile, ça venait et se construisait tout seul, je n'avais rien à faire pour ça, qu'à m'asseoir, donner deux ou trois élans pour que la chaise commence son va-et-vient, et l'image venait: il y avait son ventre, et cette femme sans tête ni bras ni jambes était ce ventre plat, ferme, un ventre comme tant d'autres, mais voilà qu'il se mettait à enfler, à grossir lentement et la tête de Julien paraissait alors, sa main caressait le ventre rond et je le voyais sourire; Julien souriait, ravi, je n'avais pas de peine à l'imaginer et chaque fois c'était pareil, ça finissait pareil, quand la tête de Julien paraissait à côté du ventre, je serrais les poings, je disais: Traître, traître, et tout de suite après, honteuse, contrite, je me disais: c'est vrai, ça ne change rien, il l'a dit, ça ne changera rien.

Je ne savais plus.

Seule dans la chaise berçante, ces soirs-là, ou au milieu de ma famille, le dimanche, je ne savais plus quoi penser; assise avec les autres autour de la table, je regardais ma mère découper le gâteau, essayant de le partager en parts égales, et j'écoutais ma sœur Christine qui parlait d'elle: ça ne paraissait pas encore, c'était trop tôt, mais elle en était sûre maintenant, le test était positif; et elle l'avait annoncé à toute la famille.

«Bonne nouvelle à vous annoncer, c'est ma fête à moi aujourd'hui, je suis enceinte...» avait dit Christine, se levant, se rassoyant, embrassant son mari pendant qu'au milieu des cris surpris, réjouis, des verres levés, j'avais pensé: tiens, elle aussi.

«Mon rêve qui se réalise», disait-elle maintenant (comme elle l'avait dit de toutes les manières et sur tous les tons depuis le début du souper), ne parlant que de ça, en parlant les yeux brillants, la voix émue, et il fallait bien la croire, tout le monde autour de la table la croyait, son rêve se réalisait et Christine devenait, ce dimanche-là, le centre d'attraction.

— C'est une bonne nouvelle, Christine... tu mérites bien ça... tu as tout ce qu'il faut pour être une bonne mère.

Et j'approuvais en mangeant mon gâteau pendant qu'Ève-Lyne mangeait le sien à pleine main, la bouche grande ouverte, en redemandait déjà, et je disais: «Finis ce que tu as dans ton assiette, finis ça d'abord et on verra...» et elle replongeait joyeusement les doigts dans son gâteau; j'approuvais, oui Christine serait une bonne mère, elle organiserait une petite fête aux anniversaires de son enfant, parlerait tout le temps de lui, ses moindres faits et gestes, sa première dent, son premier mot, son premier pas, ne manquerait pas une occasion de le vanter, de lui pousser dans le dos, suivrait de près ses activités scolaires et prendrait des photos, ça oui, le poursuivrait avec son appareil-photo pour tout enregistrer, tout fixer à jamais; aux réunions de famille, il y aurait toujours une pile de photos à montrer et ainsi tout le monde verrait, saurait, serait témoin.

Je n'ai pas beaucoup de photos d'Ève-Lyne (pensais-je en même temps que j'approuvais: oui oui, une bonne mère, Christine), j'oubliais de prendre des photos et ma mère, sur un ton de reproche, disait souvent: «Tu devrais, c'est important, ça fait des souvenirs». Je répondais en riant: «Bah! les souvenirs, la tête est mieux faite pour ça que les appareils-photo...» mais elle ne riait pas, elle n'était pas de mon avis.

Et j'approuvais: oui oui, Christine serait une bonne mère, et elle n'oublierait pas de prendre des photos.

Assise avec les autres autour de la table, ce dimanche-là, je regardais Christine prendre toute la place avec son ventre et son contentement, j'écoutais ma mère et ma belle-sœur Dany lui bourrer la tête de leurs encouragements, leurs bons conseils, leur expérience, et je me disais: qu'est-ce que je fais ici? j'ai envie..., et elles disaient: «Tu verras, c'est doux, c'est facile, un bébé, ça dort presque tout le temps, ça sourit aux anges dans nos bras, ça nous reconnaît vite, ça ne demande qu'à nous faire plaisir quand on sait s'y prendre, tu verras...» et elle verrait, Christine, elle ne le regretterait pas, assuraient-elles, c'était la plus belle chose qui pouvait arriver à une femme, elle verrait, ça transformerait sa vie.

Pendant qu'un peu plus loin, son mari discutait politique avec Bruno («Tu le sais bien, ils n'ont aucune chance, l'affaire Charron, l'affaire Grégoire, ça va leur couper les pattes... — Pas si sûr, si le contexte économique...»), emportée par d'autres voix, Christine caressait son ventre en rêvant et j'avais envie de...

Non, pas encore, pas à ce moment-là, j'avais juste envie d'être loin d'elles, d'eux, de tout ça, d'être ailleurs, n'importe où, dans une chambre d'hôtel peut-être, n'importe où avec Julien.

— Être avec lui, dis-je à Luc, le voir, lui parler, c'était important, les journées semblaient moins longues, j'avais toujours hâte à la prochaine fois... c'était important... peut-être que si sa femme n'avait pas été enceinte... peut-être que si tout avait continué comme avant... peut-être que si j'avais pu lui parler au téléphone, cette nuit-là...

Luc m'écoute aligner les peut-être, écoutant sans m'interrompre dans ce bureau où je viens une fois par semaine m'asseoir et parler (et d'où je sors en me demandant chaque fois comment j'ai pu tant parler et lui tant se taire).

Mais Luc ne pouvait pas se taire, debout dans la grande salle, il ne pouvait plus, il fallait qu'il parle, qu'il réponde aux questions, qu'il explique, on l'avait fait venir pour ça, et il était différent, ce jour-là, si différent de celui qui, chaque semaine, m'accueillait dans son bureau: il avait changé son jean et son T-shirt contre un complet, fait raccourcir un peu ses cheveux et sa barbe, il avait l'air pompeux et je n'avais pu m'empêcher de sourire en le voyant entrer, il avait souri aussi, c'était un jeu.

Une sorte de spectacle.

J'écoutais à moitié, distraite par tout ce qui se passait autour, puis je m'étais mise à bouger sur ma chaise, je n'aimais pas ce que Luc disait, ce qu'il disait maintenant sans réserve à tous ces inconnus, du même ton neutre et détaché que le médecin avant lui, il n'avait pas le droit.

«Elle détruisait la partie d'elle-même qu'elle n'aimait pas, celle...» Et pour ne pas entendre Luc, j'essayais de toutes mes forces de penser à autre chose, penser à...

... ce soir ou cette nuit-là:

J'avais bu, beaucoup bu sans doute, j'étais seule dans la cuisine, je ne savais pas quelle heure il pouvait être, tard, trop tard pour appeler Julien, l'appeler, le déranger,

Julien à cette heure bien caché dans sa maison ouateuse à caresser le ventre grossissant de sa femme, à préparer la chambre du bébé ou à faire de grands projets... seule, ça n'a pas de bon sens, et tous ces jours encore, seule à attendre un téléphone qui ne vient pas, à me raconter des histoires, à espérer, tous ces jours encore, égrenés, interminables, ça n'a pas de bon sens...

J'avais mal à la tête, je regardais le couteau de cuisine accroché au mur et ma tête tournait ... m'en aller, m'enfuir, et emmener Ève-Lyne, oui, on va partir, se sauver, se cacher toutes les deux, quelque part bien au chaud, et être tranquilles, enfin tranquilles, ici c'est trop dangereux, ici c'est plein de menteurs, de voleurs, de traîtres...

Elle dormait sur le ventre et je ne tremblais pas... viens Ève-Lyne, viens mon bébé.

...

Allongeant le bras, Marcelle a repris son livre et s'est remise à lire, assise sur le tapis. Mon livre traîne par terre sans que je me décide à continuer. Irène s'attend pourtant à ce que je le rapporte demain.

Demain, jeudi.

Demain, jour de marché. C'est à mon tour, cette semaine, Marcelle pourra dormir plus longtemps: je vais me lever de bonne heure, déjeuner sans me presser, et au moment où elle sortira du lit, je marcherai déjà dans la rue.

(... C'était en revenant du marché, cet après-midi-là, le sac à provisions pesait lourd, j'avais hâte d'arriver à la maison quand je m'étais arrêtée soudain: elle était là, au bord du trottoir, sale et laide; c'était elle, au bord du trottoir, éventrée...)

— Sais-tu à quoi je pense, Marcelle?

Elle ne répond pas tout de suite, semble pour un moment encore absorbée dans sa lecture, puis finit par lever la tête.

— Non, quoi?

— On pourrait avoir un chat ici.

— Un chat?... Tu veux rire?

— C'est sérieux. Qu'est-ce qui nous empêche d'avoir un chat ici?

Je l'avais trouvée là, un matin; il avait plu toute la nuit, il pleuvait encore un peu et elle s'était abritée sur la galerie de la maison, recroquevillée là, maigre et trempée; une chatte perdue, avais-je pensé en la voyant si maigre, elle n'a peut-être pas mangé depuis longtemps; j'avais entrouvert la porte, l'attirant, l'invitant par toutes sortes de signes et de sons, mais elle n'avait pas bougé; j'avais apporté une soucoupe de lait sur la galerie, elle y avait bu et, après seulement, elle était entrée dans la maison à petits pas, prudente, l'oreille aux aguets, prête à déguerpir au moindre danger.

«Pas de danger ici, il n'y a pas de danger», disais-je comme si elle pouvait comprendre, mais elle ne comprenait pas, bien sûr, et il avait fallu qu'elle voie elle-même, qu'elle fasse le tour de la maison, flairant partout, dans tous les coins, et s'immobilisant par moments pour me suivre des yeux; elle avait fini par sauter sur le fauteuil du salon, toute mouillée encore; j'avais pris une serviette pour la frotter, la sécher, elle s'était laissée faire et s'était endormie ensuite, le nez enfoui dans les pattes de devant.

C'est Ève-Lyne qui sera contente quand elle va se réveiller, me disais-je, et je pouvais déjà imaginer ses yeux ronds, sa surprise.

Descendant l'escalier avec Ève-Lyne dans mes bras, je lui dirais: il y a une surprise en bas, une belle surprise, tu vas voir..., et elle, pas encore tout à fait réveillée, me regarderait sans trop comprendre; je la déposerais, lui prendrais la main, la conduirais au fauteuil et là...

Là, je ne savais plus.

Ou bien ce serait l'excitation, les cris, le poil plein les mains, et il faudrait que je tempère, que je lui prenne la main, que je dise: Non non, Ève-Lyne, pas comme ça, doux doux, on flatte doucement, doux doux.

Ou bien ce serait la crainte, les pleurs, la tête cachée dans mes jambes, et elle s'aggripperait à moi, essayant de se faire prendre, risquant un œil peureux de temps en temps, et là encore il faudrait que je tempère, que je prenne sa main, que je dise...

Je ne savais pas.

Mais ce n'était pas encore le temps, il n'y avait encore qu'elle et moi dans le salon, elle qui dormait, moi qui la regardais et la trouvais belle malgré sa maigreur, son poil roux collé au corps par la pluie, la trouvant belle et commençant déjà à penser, à imaginer...

— Elle est perdue, on pourrait la garder, répétais-je assise par terre dans le salon (répétais-je comme je le dirais à Bruno ce soir-là), et puis Ève-Lyne l'aime déjà, elle s'amuse bien avec elle, et puis elle est facile, elle ne sort jamais les griffes, et puis...

Il avait écouté, agacé... et puis et puis... il n'aimait pas les chats.

«Un chien au moins ça sert à quelque chose, ça peut faire un gardien, un compagnon de chasse, un... mais un chat, à quoi ça sert?» avait dit Bruno, ce soir-là; il n'aimait pas les chats mais il n'en avait pas parlé, ni reparlé les jours suivants, et avait fini par s'habituer à la voir là, dans la maison, ne s'occupant pas plus de lui qu'il ne s'occupait d'elle; la chatte était restée et, pour je ne me rappelle plus quelle raison, un mot d'Ève-Lyne peut-être, elle s'était appelée Pluche.

J'avais commencé à parler à Pluche, pas ce premier matin où je la regardais dormir, ni les jours suivants, plus tard, je ne sais quand au juste, les derniers temps sans doute; je tournais alors en rond dans la maison, ne mettant presque plus le nez dehors, n'en ayant pas envie d'ailleurs, ni de ça ni d'autre chose, ni même de parler (à quoi bon? à qui?), il n'y avait personne à qui parler et surtout pas de ces choses, cette lassitude, ces étranges mouvements en dedans qui m'effrayaient, me faisaient descendre à la cuisine en pleine nuit pour... non, personne: Bruno écoutait la télévision, Julien ne m'appelait presque plus et quand il m'appelait, c'était pour dire qu'il ne pouvait pas encore cette semaine, ce n'était pas sa faute, il était surchargé de travail au cégep, et avec le bébé qui s'en venait il y avait tant de choses à préparer, mais aussitôt qu'il le pourrait... mais il savait que je pouvais comprendre ça... je comprenais, n'est-ce-pas?

— Oui oui, je comprends.

Je ne trouvais rien d'autre à dire, rien d'autre à faire

que l'écouter au bout du fil, écouter ses excuses, refréner mon désir et me dire que c'était la dernière fois, qu'il aurait moins d'occupations la semaine prochaine, qu'il pourrait alors et que...

«Oui oui, je comprends, disais-je à Pluche, je comprends ça... et tout le reste»; à elle je pouvais le dire, tout dire sans trop de mal; je lui en parlais pendant qu'elle léchait son poil roux, roulée en boule sur le fauteuil, interrompant de temps en temps sa toilette pour m'observer ou lécher ma main, je lui disais: «Ça n'a pas de bon sens, tout ça, pas de bon sens», reprenant, sans y penser, les mêmes mots que Bruno, des années plus tôt:

«Ça n'a pas de bon sens! tu vas pas faire ça!» avait presque crié Bruno, et j'avais tout de suite regretté de lui en avoir parlé, j'aurais dû le garder pour moi, m'arranger toute seule, et parce que je le regrettais ou parce que je n'en pouvais plus, n'ayant que ça en tête depuis des semaines, je m'étais mise à pleurer.

(Mais je ne dois pas pleurer, je dois me contenir à tout prix, me disais-je au début de la soirée en l'attendant, je vais lui en parler, il n'y a que ça à faire, le mettre au courant, ça le regarde après tout, mais sans éclat, sans drame, sans pleurs.)

Et voilà que je pleurais.

Il s'était rassis, m'avait amené contre lui et me serrait en disant: «Ça va s'arranger, Élaine, tu as bien fait de m'en parler, tu peux compter sur moi, ça va s'arranger, mais pas question d'avortement, tu entends! pas question»; et je disais: «Oui oui», sans oser parler de ces semaines où je n'avais pourtant pensé qu'à ça, regardant mon ventre, le voyant déjà grossir de mois en mois, ventre énorme, boule monstrueuse avec cette petite chose enfermée dedans, petit paquet de chair molle, petite chose inutile, et me disant: je ne veux pas de ça, je n'en veux pas.

Je disais oui oui, je ne pleurais plus, Bruno allait s'occuper de tout; il avait l'air content maintenant, il était fier, disait-il, pris par surprise bien sûr, mais si fier; on allait se marier, avait-il décidé; je n'avais pas protesté, j'étais entre bonnes mains, il savait ce qu'il fallait faire; et cette petite chose molle dans mon ventre... voilà que ça me revenait en même temps qu'une sorte de nausée ou de frayeur, mais il n'y avait rien à craindre, assurait Bruno, toutes les femmes passent par là, il n'y avait pas de quoi s'inquiéter, disait-il, j'étais une femme, j'avais ça dans le sang, ça viendrait tout seul.

L'infirmière s'était penchée sur moi.

(Épuisée, je ne demandais rien, me contentant de regarder la petite chose rouge, sale et laide étendue sur mon ventre et me disant: enfin fini.)

Et penchée sur moi, elle avait dit: «C'est une fille!»

J'avais commencé à pleurer doucement; elles me regardaient, l'air indulgent, attendri: l'émotion, croyaient-elles, l'émotion, se disaient-elles et disaient-elles à voix haute, mais ce n'était pas ça, je le savais; ç'avait été si long, j'étais si fatiguée et tout ça pour rien, tout ça pour l'avoir là sur mon ventre, petite chose chétive et impuissante, petite chose rouge, sale et déjà quémandeuse, c'était là sur mon ventre, tout ça pour rien, et je pleurais doucement au milieu des sourires ravis; l'émotion, elles en étaient sûres, ça se voyait souvent, chez les primipares surtout, disaient-elles, mais elles se trompaient et Bruno se trompait et ils s'étaient tous trompés: je n'avais pas ça dans le sang, ça ne venait pas tout seul.

Ça n'était pas venu, tôt ce matin-là, dans la salle d'accouchement, mais je n'en parlais pas.

On venait à la maison voir le bébé, s'extasier sur le bébé, prendre des nouvelles du bébé («Est-ce qu'elle boit bien? est-ce qu'elle digère bien? est-ce qu'elle dort bien? — Oui, tout va bien, c'est un bon bébé, facile, tranquille.») et on repartait, satisfait.

Je ne parlais pas du reste.

Et ça commençait peut-être déjà à ce moment-là, ça se préparait peut-être quand, parfois, dans l'après-midi, j'ouvrais un livre et je m'installais sur le lit, l'oreiller remonté, avec une bonne heure de lecture devant moi, mais j'avais à peine lu deux ou trois phrases que je m'arrêtais, incapable de continuer, lasse, si lasse tout à coup.

Je fermais alors le livre, je m'allongeais sur le lit mais je ne dormais pas, aussi incapable de dormir que de lire, je restais là, fixant le plafond, attendant que... attendant quoi?... et quelque temps après, j'entendais le bébé pleurer, elle se réveillait, elle avait soif, et je me levais, lasse, si lasse encore, pour continuer.

Je n'en parlais pas.

Mais c'était peut-être déjà là, commençant peut-être déjà à ce moment-là, sournois et envahissant.

...

— **R**ien... rien qui nous empêche d'avoir un chat, dit
Marcelle, hésitante. Rien, bien sûr, mais... mais je
n'ai pas grand temps pour m'occuper d'un chat,
tu le sais.

— Je m'en occuperai... ce sera une chatte.

— Chat, chatte, qu'est-ce que ça change?

— Les chattes sont plus indépendantes.

— Tu es sûre? Avec les portées qu'elles ont à tout
bout de champ, j'aurais cru le contraire.

Elle rit et je ne trouve rien à dire.

Les premiers temps, j'allais encore ouvrir la porte dès que je me levais, le matin; j'ouvrais la porte, j'attendais un peu: qu'est-ce qu'elle fait? encore en train de courir la galipote?, et tout de suite après: j'oubliais, elle ne rentrera pas, elle est là-bas dans sa boîte de carton.

Je refermais la porte, il faisait froid, je frissonnais.

C'était l'hiver.

Le bébé de Julien devait naître à la mi-avril, un bébé de Pâques, disait-il en riant de bon cœur, et j'essayais de rire aussi, un rire forcé, mais sans doute ne s'en apercevait-il pas au bout du fil, et je disais: «Patiner, un samedi ou un après-midi après ton travail... pas longtemps, une heure ou deux... ça fait longtemps que je ne t'ai pas vu. — Oui, c'est une idée, je vais voir comment les choses se présentent... je t'en reparlerai... mais tu comprends...»

Et c'était la même histoire: le travail, le bébé qui s'en vient, même histoire même rengaine, nous n'irions pas patiner, je le savais, je le sentais dans sa voix distante, distraite, nous n'irions pas, c'était chose décidée; je n'insistais pas et il me quittait, rassuré; peut-être aurais-je pu le presser, le mettre au pied du mur ou faire du marchandage: je ne sais pas ce que ta femme dirait si...

Rien de tout ça et il raccrochait, rassuré.

Je raccrochais... j'avais raccroché, cette fois-là, calme d'abord puis peu à peu inquiète, agitée: quand va-t-il rappeler? combien de temps à attendre? et s'il ne rappelait pas? et c'était vite devenu intenable, toutes ces questions, il fallait bouger, sortir, courir, n'importe quoi mais ne pas rester là une minute de plus; j'avais commencé à vêtir Ève-Lyne, maladroite, les doigts tremblants, pendant qu'elle pleurnichait et répétait: «Ève-Lyne capable, bon, capable»; j'aurais pu la laisser s'habiller seule mais je n'avais pas le temps, il fallait sortir de cette maison au plus vite.

Je l'avais habillée chaudement et nous étions sorties; je marchais, tirant son traîneau dans les rues, et parfois elle trottinait à côté de moi, malhabile dans la neige, s'enfargeant, tombant presque à chaque pas, et parfois elle s'assoyait dans le traîneau, empêtrée dans ses vêtements d'hiver, et je l'entendais alors rire ou parler toute seule; j'avais marché longtemps sans rien voir, rien entendre, juste ses babillages, juste elle qui riait ou parlait derrière moi, et de temps en temps m'appelait mais je n'avais pas le temps de me retourner, je continuais, avançant à grands pas... juste marcher, ne rien voir, rien entendre, marcher... et peu à peu, les choses étaient réapparues; les rues, les maisons, les gens revenaient, reprenaient leur place, et j'avais moins mal au ventre et je ralentissais le pas; j'avais ralenti, je m'étais retournée: Ève-Lyne dormait

dans le traîneau, emmitouflée, recroquevillée; il commençait à faire plus noir, plus froid, j'étais fatiguée, j'allais
rentrer, et puis ce n'était pas si pire, me disais-je... il y en
a des plus mal pris, c'est pas si pire, un mauvais moment
à passer, ça va se replacer, redevenir comme avant, il faut
être patiente, attendre...

Et j'étais rentrée plus calme, le pas plus lent, il y avait
des choses à faire, le souper à préparer, ce n'était pas si
pire, et Bruno serait là, je pourrais lui parler, lui dire tout
ça: la fatigue, l'ennui.

Je voulais lui parler.

(J'essayais de lui parler, je commençais, bien résolue
à lui dire ce qui n'allait pas, mais ça s'arrêtait vite, il y avait
trop de mots perdus, mots dits pour rien, qu'il n'entendait
même pas, un œil sur la télévision, et ce que je disais
semblait n'avoir aucune importance, ce n'était peut-être
pas important, après tout, du babillage comme en faisait
Ève-Lyne dans son traîneau, ça ne valait peut-être pas la
peine, et je finissais par me taire.)

«Je ne sais pas ce que j'ai, je me sens tout le temps
fatiguée», avais-je commencé, ce soir-là; Bruno mangeait
en regardant la télévision et il n'avait pas répondu... il n'a
pas répondu, j'ai mal choisi mon moment, lui dire ça pendant le bulletin de nouvelles... mais il devait avoir entendu
puisqu'il avait fini par marmonner distraitement: «Fatiguée... ça arrive à tout le monde... ça va passer.»

Et je n'avais plus eu envie de parler, ce soir-là.

— Je voulais lui parler, dis-je à Luc, lui parler pour de
vrai, lui parler des vraies choses (et Luc m'écoute, hoche
la tête), je passais à côté, je n'y arrivais pas, on aurait dit

qu'il ne voulait pas comprendre... peut-être que c'était ma
faute, peut-être que je m'y prenais mal, je ne sais pas.

Luc m'écoute, me laisse dire et parfois pose une
question; je n'aime pas ça, je préfère quand il écoute; je
n'aime pas ses questions, elles sont toujours em-
barrassantes; j'essaie alors une réponse évasive, je n'ai
pas envie de chercher midi à quatorze heures, de chercher, fouiller, remuer les vieux fonds, ça m'ennuie, j'essaie
de m'en tirer autrement.

C'était comme ça, les premiers temps surtout, je
croyais m'en tirer par une réponse vague, une pirouette,
mais il ne me laissait pas, reprenait, insistait: «Es-tu sûre,
Élaine? sûre que tu ne ressentais pas autre chose? oui oui
il y avait l'impuissance, mais ce n'est pas assez, ça, ce
n'est pas tout, il devait bien y avoir autre chose, creuse
encore, va voir plus loin, en dessous de cette impuissance,
qu'est-ce que tu trouves? qu'est-ce que tu ressens?»

Et je disais: «Je ne sais pas, rien, il n'y avait rien, je ne
ressentais rien, juste l'impuissance, c'est tout.»

Je n'aimais pas ses questions.

Il n'avait pas l'air d'aimer mes réponses, il haussait le
ton comme s'il se fâchait, je ne savais pas s'il était
vraiment en colère mais il balayait aussitôt mes réponses
évasives, mon envie d'être juste là, tranquille avec lui, à
raconter des choses tranquilles.

— Tu ne veux pas, Élaine! qu'est-ce que tu ne veux
pas ressentir? qu'est-ce que tu t'empêches de ressentir?
qu'est-ce qu'il y a là-dessous? qu'est-ce qu'il y a de si
dangereux sous cette impuissance?

Et je me sentais... perdue, je suis perdue, plus moyen

de reculer, il me coince avec ses yeux, sa voix, quoi faire?... et pendant un instant, j'étais sur le point de hausser le ton moi aussi, comme lui, plus que lui, de crier dans la pièce tranquille, lui crier: C'est pas de tes affaires! laisse-moi la paix! c'est à moi, ça, rien qu'à moi! mêle-toi de tes affaires! voleur, voleur!... J'allais me mettre à crier et me déprendre et le distancer et laisser toutes ces choses là où elles sont cachées, là où elles ne font de mal à personne.

Un moment, un court moment je vais hausser le ton, crier.

Mais tout de suite après, presque en même temps, je me rappelle qu'il fait ça pour m'aider, il veut m'aider, il l'a dit, c'est ce qu'il m'a dit, la première fois, en prison.

J'étais toujours seule dans ma chambre, j'ignorais où j'étais et je me disais: c'est un hôpital, j'étais tout le temps fatiguée, Bruno a décidé de m'envoyer à l'hôpital; j'étais seule et je passais mon temps couchée, il fallait que je me repose... il le faut, c'est pour ça qu'ils m'ont envoyée ici, c'est pour ça qu'on va à l'hôpital, se reposer, reprendre des forces...; il y avait d'autres gens, des femmes, que des femmes, aurait-on dit, je ne les voyais pas souvent mais j'avais toujours leurs voix à l'oreille, quand on m'emmenait manger surtout, des voix de femmes; seule dans ma chambre, je me reposais, je ne parlais pas, je n'en étais pas capable et je n'en avais pas le temps: il y avait trop d'images pêle-mêle dans ma tête qui me tenaient occupée, il fallait suivre le fil, tout remettre en place et essayer de comprendre, je voulais comprendre.

Comprendre quelque chose à cette histoire:

Depuis quand suis-je ici? qui m'a vraiment envoyée? qu'est-ce qui s'est passé après que?... tant de questions, je ne pouvais pas parler, c'était dangereux, je risquais de perdre le fil à n'importe quel moment, je ne parlais pas et c'étaient sans fin les mêmes images dans ma tête, images brouillées, incomplètes.

Essayer de suivre les images:

Ève-Lyne dort sur le ventre, je suis près d'elle, je tiens un objet à la main mais je ne vois pas très bien ce qu'est cet objet, et après, qu'est-ce qui se passe après?... je ramasse quelque chose avec la pelle et je le mets dans une boîte de carton... non, ce n'est pas ça, ça n'a rien à voir, c'est une autre histoire.

Je suis seule dans ma chambre d'hôpital, je ne parle pas, j'essaie d'emboîter les images de ma tête mais parfois je ne suis plus seule, il y a un homme, il entre, et je n'aime pas qu'il soit là parce que mes images s'éparpillent aussitôt; l'homme moustachu entre, une serviette à la main, s'assoit au bord du lit, sort des papiers de sa serviette et, sérieux, demande si je le reconnais; il s'efforce d'être aimable mais c'est toujours la même chose, il finit par parler de drame.

«Qu'est-ce qui s'est passé avant le drame?» demande-t-il; c'est la même question que la dernière fois, il pose les mêmes questions à chaque visite et je ne sais pas quoi lui répondre, je ne sais pas pourquoi il vient me demander ça; «Qu'est-ce qui s'est passé avant le drame? insiste-t-il, t'étais-tu disputée avec ton mari? qu'est-ce qui s'est passé juste avant?»

Je fais signe que non, je dis: «Non, je ne me suis pas disputée avec Bruno, je ne me dispute jamais avec lui.» Et il se fâche.

Chaque fois que je lui réponds ça, il se fâche; il prend un ton sévère, comme si je rusais ou je faisais exprès de lui cacher quelque chose d'important, et il proteste: «Ça n'a pas de sens, ce que tu me dis... on n'arrivera jamais à rien de cette façon-là... comment veux-tu que je te défende avec si peu?... il va falloir que tu te décides à m'aider plus que ça, autrement...»

Il me quitte sur cette vague menace, chaque fois cette menace ou une autre, et aussitôt qu'il part, que je suis de nouveau seule, les images reviennent: Ève-Lyne dort sur le ventre, je suis près d'elle...

Un matin, l'homme moustachu était entré dans ma chambre avec quelqu'un, m'avait dit deux ou trois mots puis était reparti aussitôt, me laissant avec l'autre; il y avait eu un long silence; l'inconnu paraissait à peine plus âgé que moi, il ne parlait pas, me regardait seulement, et dans le silence qui se prolongeait, les images revenaient, l'homme restait là sans rien dire, rien faire qui empêche le défilé des images: Ève-Lyne dort sur le ventre, je suis debout près du lit avec cette chose, cet objet que je distingue mal, à la main, je me penche sur elle et... je ne vois plus rien, du gris, une sorte de buée sur la scène... et il y a la pelle et une boîte de carton... non, ça n'a rien à voir, je recommence tout: Ève-Lyne dort sur le ventre...

D'une voix étrangement douce, l'homme, que j'avais

oublié, dit: «Ève-Lyne est couchée sur le ventre (je souris, il sait, il va me dire, il est venu pour me dire...), elle dort, tu es à côté d'elle, tu as un couteau de cuisine à la main...» et soudain j'ai peur, je dis: «Non, pas un couteau, ce n'est pas vrai.» Je ne veux pas qu'il continue, il va me raconter des mensonges, une histoire de son invention, j'ai peur, ce ne sont plus les images tranquilles, un peu floues, de ma tête, c'est autre chose, des mots, les mots du dehors, les mots dans la bouche de cet homme, j'ai peur, je ne veux pas qu'il continue avec ses mensonges, je dis: «Non, pas un couteau», je me lève, je veux, je vais le frapper, coup de poing sur la bouche, mais il me saisit, me tient les poignets, le frapper, qu'il se taise, je me démène, il me tient les poignets, continue à parler: «Tu te dis: ça n'a pas de bon sens, tout ça ne mène à rien, tu as beaucoup bu, tu es fatiguée, ça n'a pas de bon sens, tu n'es pas capable de continuer, tu ne sais pas quoi faire, et tout à coup c'est clair, il n'y a que ça à faire, lever le couteau de cuisine, frapper au bon endroit, un seul coup, et tu frappes...»

Je crie: «Non!»

Mais c'est trop tard, ça ne sert à rien, ce ne sont pas ses mots mais les images qui repartent, ne s'arrêtent plus: j'ai le couteau de cuisine à la main et je ne tremble pas... Tous des menteurs, Ève-Lyne, des menteurs, des voleurs, des traîtres, tous pareils, mais on ne restera pas ici plus longtemps, tu vas voir, on va s'en aller toutes les deux, être bien toutes les deux... viens, Ève-Lyne, viens mon bébé.

Je m'étais mise à pleurer, recroquevillée sur le lit, pleurer sans pouvoir m'arrêter, pleurer et l'appeler: Ève-

Lyne, Ève-Lyne... et j'entendais l'homme dire de sa voix
étrangement douce: «Je veux t'aider, je suis ici pour
t'aider, je vais t'aider si tu veux.»

...

— **V**a pour la chatte, dit Marcelle. Si tu t'en occupes. Elle montre son livre.

— Sais-tu ce que je suis en train de lire?

Je fais signe que non.

— Ça s'appelle *El Salvador*. C'est écrit par une femme commandante du Front de Libération Nationale. Elle raconte comment on l'a enlevée, torturée, forcée à collaborer avec l'ennemi. C'est dérangeant... en tout cas, moi ça me dérange beaucoup. À un moment donné... sais-tu ce qu'elle raconte?

Je dis non.

— À un moment donné, elle est interrogée et on menace de la passer à la machine à vérité et... sais-tu ce que c'est, cette machine à vérité?... c'est du penthotal.

— Penthotal?

— Oui. Quand quelqu'un en est à un certain point de désespoir ou d'épuisement, le penthotal provoque la dépression mentale. Qu'est-ce que tu en dis?... Moderne, non?

Elle est choquée, offensée, sa voix ne laisse aucun doute. Et elle s'attend à me voir partager son indignation, jeter avec elle les hauts cris, mais c'est une sorte de tristesse qui me vient.

— Il y a eu un temps où le penthotal m'aurait fait beaucoup d'effet.

Elle me regarde, d'abord étonnée.

— Moi aussi, dit-elle en baissant la voix, il y a des jours où le penthotal me ferait de l'effet.

Elle se secoue, se lève.

— Veux-tu boire quelque chose? Je vais à la cuisine me faire un café.

Je dis non; tout de suite après, je l'entends marcher, ouvrir et refermer des armoires, déplacer de la vaisselle dans la cuisine.

— Toi, ton livre, ça avance?

— Pas très vite.

J'entends l'eau qui commence à bouillir.

— Si je finis le mien assez tôt, je pourrai lire le tien pour t'en faire un résumé, dit-elle en riant.

— Je ne suis pas sûre que ça t'intéresserait.

— Moi non plus, dit-elle en revenant dans la pièce, sa tasse de café à la main.

À peine entrée, à peine débarrassée de mon manteau et de mes bottes d'hiver, je laissais Ève-Lyne dans les bras de l'un ou l'autre et j'allais à la cuisine me faire un café, j'y allais tout droit sans rien demander, je connaissais les airs, j'avais vécu dans cette maison assez longtemps; je ne m'occupais pas des autres, quelques réponses à leurs saluts, quelques formules banales: «Oui oui, ça va, il faut bien», et j'allais tout droit à la cuisine.

J'entendais les rires et les exclamations venant du salon, pas les conversations ni les voix égales, monocordes, mais le moment où ces voix enflaient soudain, crevant en rires ou en exclamations; tout le monde y était, personne n'échappait à ces soirées de famille du dimanche, personne n'aurait voulu y échapper, ça se sentait, ça s'entendait jusque dans la cuisine où, seule, je préparais mon café.

Au salon, au milieu d'eux, je n'aurais rien eu à dire.

Je n'avais rien à leur dire et je me retranchais dans la cuisine, buvant mon café, fuyant leurs questions, les immanquables questions auxquelles je ne voulais pas répondre; j'étais en lieu sûr, ils n'allaient quand même pas venir me chercher ici, me harceler jusqu'ici, l'idée ne leur en viendrait pas puisque Bruno était là, avec eux, pour donner les dernières nouvelles et répondre à toutes leurs questions, ces lassantes questions qui ne semblaient jamais le contrarier.

J'entendais rire Ève-Lyne qu'on amusait, qu'on prenait à tour de rôle, et elle allait sans gêne de l'un à l'autre, se faisait dorloter sans gêne par l'un et l'autre et, de temps en temps, j'entendais son rire joyeux venant du salon.

Personne ne viendrait me chercher ici, je le savais, personne ne me dérangerait, ils me laisseraient tranquille, faisant comme s'ils ne s'apercevaient de rien; ils avaient fini de commenter mes absences, mes bouderies, mes sautes d'humeur, fini de m'en parler et de s'en plaindre, ils me laissaient la paix maintenant.

C'était comme ça, les derniers temps, je ne voulais pas qu'ils me parlent, qu'ils me forcent à parler, je me cachais dans la cuisine, buvant mon café, et s'ils étaient venus, j'aurais prétexté n'importe quoi, mal de tête, de gorge ou de ventre, n'importe quoi pour ne pas aller avec eux et parler; mais personne ne venait, je buvais mon café en paix et je me disais: c'est là, c'est encore là.

C'était là, je le savais maintenant, c'était là, j'ignorais depuis quand, pour combien de temps, j'ignorais même ce que c'était au juste mais c'était là, et c'était dangereux, il ne fallait pas que les autres l'apprennent, il ne fallait pas que j'ouvre la bouche.

(C'était là presque tout le temps, alors, tout le temps

mais surtout le soir, c'était pire le soir, ça grossissait dans ma tête, ça prenait toute la place, à cause du silence ou du noir peut-être; je me couchais, fatiguée, et je restais allongée, les yeux clos, incapable de dormir, espérant le sommeil malgré tout. Et soudain c'était là, ça se mettait à grossir, je me disais: ça y est, ça n'arrêtera pas, j'avais hâte que Bruno s'endorme, ça prenait de plus en plus de place dans la noirceur et j'attendais et quand il finissait par s'endormir, je me levais, je descendais l'escalier sans bruit, j'ouvrais une bière, et assise à la table de la cuisine, buvant au goulot, j'attendais encore; je ne comptais jamais, un soir deux bières, l'autre soir quatre ou cinq bières, ce n'était jamais pareil mais l'effet était le même: au bout d'un certain temps et d'un certain nombre de bières, ça s'estompait dans ma tête, ça devenait plus flou, j'étais bien, je m'installais dans un vague bien-être; j'étais bien en rangeant les bouteilles vides, en remontant l'escalier, ça tournait un peu dans ma tête et autour mais j'étais bien, j'allais pouvoir dormir, me jeter sur le lit et m'endormir à je ne sais quelle heure du matin).

Ici dans cette maison, c'était trop dangereux, il ne fallait pas que je parle; je les entendais dans l'autre pièce, ne les entendant pas vraiment mais sachant si bien ce qu'ils disaient que j'avais l'impression de les entendre: ma sœur au gros ventre parlait d'elle, faisant semblant de parler du bébé, croyant peut-être parler du bébé alors qu'elle ne parlait que d'elle, prêtant à peine attention aux conseils de ma mère et de ma belle-sœur qui, elles, savaient... avaient eu... étaient passées par... pendant que Bruno, mon frère et mon beau-frère parlaient hockey, commentaient les dernières parties et y allaient chacun de leurs prédictions.

Ève-Lyne riait dans les bras de chacun et je les entendais, j'avais l'impression de les entendre comme si j'y étais, eux, leurs voix joyeuses et complices, c'était si simple, ç'aurait pu être si simple mais j'étais incapable d'y aller, d'être au milieu d'eux, parlant et riant comme eux, j'étais seule dans la cuisine, un peu triste, et contente pourtant, contente en même temps d'être loin, de n'avoir pas à leur parler; je ne pourrais pas leur parler et me retenir, je ne le pourrais pas, aussitôt que je commencerais à parler, ça sortirait tout seul, j'essaierais de parler et ce ne seraient pas des mots, pas leurs mots égaux, monocordes, j'ouvrirais la bouche et ça viendrait malgré moi.

Ça crierait, ça hurlerait, sauvage, incontrôlable.

C'était trop dangereux, ici dans cette maison, mieux valait me cacher, me cacher et me taire.

Je passais la soirée dans la cuisine, buvant du café, beaucoup de café, et ils faisaient comme s'ils ne s'apercevaient de rien, peut-être était-ce vrai, peut-être ne remarquaient-ils pas mon absence, comment savoir? Je ne voulais pas savoir, je buvais beaucoup de café, assise dans la chaise berçante de la cuisine, suivant leurs conversations, série de mots et de phrases que je n'entendais pas, que j'imaginais (bébés, hockey, politique) et quand je n'avais plus envie de les entendre, je cessais d'y penser, leurs voix s'éteignaient, je n'entendais plus que le va-et-vient de la chaise berçante sur le plancher de la cuisine.

Mais soudain je m'arrêtais, le cœur battant, on avait

prononcé mon nom, je tendais l'oreille et j'attendais, affolée... qu'est-ce qu'ils me veulent?... je ne bougeais plus, retenant mon souffle, jusqu'à ce que je reconnaisse la voix de Bruno toute proche.

— Elle doit s'être allongée quelque part, elle est souvent fatiguée ces temps-ci.

Sa voix se rapprochait, sa voix et ses pas venant vers moi, je n'entendais que lui, les autres ne disaient rien et préparaient sans doute ce qu'ils diraient dans mon dos quand je serais partie, ils en auraient long à dire cette fois, ils s'y préparaient en silence pendant que Bruno entrait dans la cuisine.

— Tu te reposais?... il faut penser à partir, il commence à être tard.

Je me levais, me rhabillais chaudement, après avoir aidé Ève-Lyne, et nous partions; dans l'auto, Ève-Lyne endormie sur moi, je les entendais encore, ils ne parlaient plus bébés hockey politique, ils parlaient de moi maintenant: «Elle ne change pas... cette idée de passer la soirée enfermée dans la cuisine... ça, c'est bien elle.» Je les entendais sans le dire à Bruno, qui aurait répliqué comme d'habitude: «Tu te fais des idées, voyons!» Je le savais, ils avaient commencé à parler aussitôt la porte refermée derrière moi, parlant à voix basse comme s'ils soupçonnaient que je pusse les entendre de l'auto et je les entendais tout le long du trajet.

...

— **A**h! les salauds! tonne Marcelle. Bande de salauds! Son cri résonne étrangement dans la pièce silencieuse.

Elle me regarde, outragée, me prend à témoin de je ne sais trop quels crimes commis au Salvador. J'attends, je vais en savoir plus long mais cette seule invective paraît lui suffire, elle baisse les yeux et continue à lire, sa tasse de café par terre à côté d'elle.

Je m'enfermais toute seule dans ma chambre pour lire ou dessiner et ma mère, je ne sais pas pourquoi, ne me laissait jamais faire; mon livre ou mon bloc de papiers sous les yeux, j'avais à peine commencé qu'elle entrait soudain sans frapper ni prévenir, la porte s'ouvrait et elle se tenait là sur le seuil, renfrognée, soupçonneuse.

— Qu'est-ce que tu fais, enfermée comme ça dans ta chambre?

«Tu vois, je lis» (ou: «Tu vois, je dessine»), disais-je, la main sur mon cahier ou mon bloc de papiers; je ne comprenais pas ce qu'elle faisait là ni pourquoi elle s'attardait encore un long moment sur le seuil: quel mal pouvais-je courir à lire ou dessiner tranquillement dans ma chambre?... et quand elle se décidait à partir, elle oubliait de refermer la porte derrière elle.

Venant voir ce que je faisais dans ma chambre, elle posait chaque fois la même question et chaque fois repartait sans fermer la porte; si je restais trop longtemps à lire ou dessiner, elle revenait, je sentais tout à coup sa présence, je levais les yeux, elle était de nouveau sur le seuil.

— Tu n'as pas envie d'aller jouer dehors au lieu de te fatiguer les yeux pour rien?

Je disais non, j'avais dix ou douze ans.

Et plus tard: «Tu n'as pas envie de sortir, d'aller rencontrer tes amies?»

Je disais non, j'avais quinze ou seize ans.

Je disais non mais ce n'était pas grave, elle pouvait se consoler, elle avait Christine et Charles qui jouaient tout le temps dehors, qui sortaient tout le temps avec leurs amis et elle le disait, ma mère disait: «Par chance, Christine et Charles ne sont pas comme elle, je ne sais pas ce que je ferais.»

Debout sur le seuil de ma chambre, renfrognée, soupçonneuse, elle ne demandait jamais ce que je lisais ou dessinais, elle se préoccupait de ma vue surtout: «Tu vas t'user les yeux», disait-elle.

— As-tu eu le temps de dessiner? demandait Julien, à chaque rencontre.

La question avait beau revenir, elle me prenait chaque fois par surprise et je demandais, un peu incrédule: «Ça t'intéresse?... vraiment?... tant que ça?»

«As-tu apporté des dessins?» demandait-il dès les premiers mots, pressé, captivé, comme s'il s'agissait de quelque chose d'important, captivé, séduit d'avance, et ça devenait aussitôt important, ce geste exécuté et répété sur la table de la cuisine pendant qu'Ève-Lyne dormait, ce geste un peu coupable. «As-tu eu le temps de dessiner?

demandait-il, j'ai hâte de voir tes derniers dessins...» et ce geste devenait unique; nous passions parfois des heures dans la chambre d'hôtel et, quand j'apportais mes dessins, il prenait le temps de les regarder un à un avec une satisfaction, une sorte de fierté que je comprenais mal, les commentant pendant que je m'amusais à suivre ses impressions sur son visage; des heures, allongés ou assis, à parler ou à se taire, dans cet autre monde dont je n'avais plus envie de sortir, et je me disais: il va oublier l'heure, l'école, les cours, tout oublier, rester ici long-temps..., mais ça n'arrivait jamais, Julien finissait par jeter un coup d'œil à sa montre et dire: «Il va falloir partir, j'ai un cours à...»

«As-tu commencé le livre que je t'ai prêté?» deman-dait Julien, je disais: «oui», je ne disais pas comment j'avais essayé de trouver du temps, un peu de temps par-ci par-là, lorsque Bruno regardait la télévision ou qu'Ève-Lyne jouait seule, temps grignoté, petits bouts de temps, et dès que j'avais un moment, je prenais vite mon livre, le reprenant là où je l'avais laissé la dernière fois, m'absor-bant dans ma lecture et arrêtant à peine pour me dire: il faut que je parle de ça à Julien, que je lui demande ce qu'il en pense.

Mais Julien n'avait plus le temps maintenant; ça n'était pas venu comme ça, un beau jour, il n'avait pas dit comme ça: C'est fini, je n'ai plus le temps; c'était venu peu à peu, sans que je m'en aperçoive, indulgente les premières fois quand il avait prétexté un surcroît de travail, le plaignant, le consolant presque au téléphone.

Puis c'était venu de plus en plus souvent, téléphones

espacés, rencontres espacées, je ne disais rien encore, je n'étais pas sûre de comprendre.

«Je n'ai pas le temps», disait-il maintenant, téléphonant de temps à autre pour prendre des nouvelles mais incapable de fixer une rencontre, en retardant sans cesse le moment, et je commençais à craindre ses téléphones qui n'étaient qu'excuses et remises à plus tard, les craindre et les espérer à la fois; je me disais: mieux vaudrait le silence, je saurais au moins ce que ça veut dire..., mais il continuait à téléphoner de temps à autre.

«Pas le temps, disait-il, beaucoup de travail à l'école, et le bébé qui s'en vient»; même s'il n'en parlait pas trop, s'il s'efforçait d'en dire le moins possible, je savais que c'était là ce qui changeait tout: la venue du bébé; et après? me demandais-je, et quand le bébé sera là? «Ce n'est pas ma faute, disait-il, tu sais ce que c'est attendre un bébé... plein de choses à penser, à organiser... des préparatifs, des changements... tu sais ce que c'est, tu comprends.»

Et je disais: «Oui oui, je comprends.»

Julien n'avait plus le temps; et je n'avais plus envie de lire ni de dessiner, mon bloc de papier et le dernier livre qu'il m'avait prêté traînaient je ne sais où dans la maison; la gardienne ne venait plus, je n'avais pas besoin d'elle; je passais maintenant l'après-midi à la maison, incapable de lire ou de dessiner, je passais le temps à faire les cent pas dans la maison, heures creuses heures dangereuses, à faire les cent pas et à me dire: à cette heure-ci, il doit être... il doit faire...

À cette heure-ci, il est rentré chez lui, ses cours sont finis, il est assis au salon et lit pendant que la femme au gros ventre prépare le souper dans la pièce d'à côté; il lit quelque chose sur la peinture, un livre comme il m'en prête, sur Borduas ou Sullivan; de temps en temps, la femme vient interrompre sa lecture: elle entre en coup de vent, dit: «Touche! Touche! il bouge!» et Julien s'arrête aussitôt de lire, pose la main sur le ventre de la femme, sourit, et ce sourire (je le connais, je le reconnais) ressemble à celui qu'il avait en regardant mes dessins dans la chambre d'hôtel; il embrasse le gros ventre, la femme part et il reprend son livre, attendant le prochain appel.

Pendant que dans la maison, je fais les cent pas, incapable de m'asseoir pour lire ou dessiner, les yeux grands ouverts sur ce qui se passe là-bas dans l'autre maison.

Heures creuses, heures dangereuses.

Il n'avait plus le temps, il allait être père, il devait se montrer sérieux et responsable.

...

Marcelle lève la tête, l'air de se rappeler soudain quelque chose.

— Tu ne devais pas sortir, toi, cet après-midi?

— Oui, je suis sortie, dis-je.

— Une exposition... c'est bien ce que tu m'avais dit?

— Oui, une exposition de Gauvreau au Musée. J'y allais avec le groupe du cours de dessin. Une rétrospective.

— Comment c'était?

Je ne réponds pas tout de suite. Je voudrais parler couleurs, lumière, jaillissement, ruissellement, fête, tout mêler, tout dire d'un seul coup sans expliquer ni détailler, tout dire du même coup, du même mot, dire, mais ça ne vient pas, je ne trouve rien et je réponds bêtement:

— C'était beau.

C'était beau pourtant au commencement.

Julien téléphonait souvent, parlant de ses cours, de ses journées, ou me donnant rendez-vous, et je n'attendais que ça, ses téléphones, ses rendez-vous, je les attendais, prête à tout, j'attendais, je bondissais, j'accourais, il prenait toute la place.

Et quand il avait dit au téléphone, la première fois: «J'aimerais voir tes dessins», ça avait suffi, sorte d'étincelle, j'avais sorti mes papiers et mes crayons bien rangés depuis Bruno, depuis Ève-Lyne, et j'avais recommencé à dessiner; je dessinais sur le coin de la table de la cuisine pendant qu'Ève-Lyne dormait, l'après-midi, je dessinais et je retrouvais peu à peu la main, le rythme.

— C'est une surprise, disait-il au téléphone ce samedi-là, je veux t'emmener quelque part, je ne te dis pas où, c'est une surprise... peux-tu t'arranger?

Il avait téléphoné au début de l'après-midi, Bruno n'était pas loin, et je m'étais dit en reconnaissant sa voix: par chance, j'ai répondu la première, sachant presque en même temps que ça n'avait aucune importance puisque

Bruno ne demandait jamais rien, ne s'étonnait jamais de rien. «Peux-tu t'arranger?» demandait-il au téléphone, et par la fenêtre je voyais Bruno, corps penché, sans tête: il avait ouvert le capot de l'auto, sa tête y disparaissait, coupée aux épaules, et il ne laissait son travail, ne se redressait par moments que pour jeter un coup d'œil sur Ève-Lyne qui s'amusait tout près, je le voyais, je voyais aussi le soleil éclatant et Ève-Lyne qui de temps en temps me faisait des signes, des bonjours de la main.

Des bonjours par la fenêtre, pendant que Julien disait: «Peux-tu t'arranger pour sortir cet après-midi? c'est une surprise...» et son ton enjoué m'égayait mais ce n'était peut-être pas seulement sa voix, c'était peut-être aussi ce soleil de novembre, éclatant, inattendu.

J'avais pris le traversier pour aller rejoindre Julien, qui m'attendait à Québec; sur le traversier, bondé par ce bel après-midi d'automne, je ne me demandais pas encore où Julien m'emmenait, ou si j'y songeais, c'était vaguement, à travers d'autres réflexions, je n'y songeais pas vraiment, plutôt attentive à ce qui se passait, se jouait autour de moi, à tout ce monde grouillant, impatient, tous ces gens joyeux, comme s'ils allaient à une fête, comme si une surprise les attendait aussi de l'autre côté du fleuve, et c'était peut-être ça, il y avait peut-être un spectacle quelque part, un grand pique-nique ou une fête en plein air.

Et ça souriait, ça riait, bouches ouvertes, yeux brillants, ça bougeait, ça parlait partout autour de moi, tellement qu'à la fin je ne voyais ni n'entendais plus les gens, c'était un long mouvement, une longue phrase qui m'emportait malgré moi, à laquelle j'étais rattachée, confondue, du seul fait que je me trouvais là à ce moment-là, et tout le monde dans une même voix, moi avec eux sans bien m'en rendre compte, disait: «Les dernières belles journées d'automne, profitons-en...»

Accompagnant cette voix, un air d'accordéon que jouait un vieil homme, un peu à l'écart, un air ancien, un air de sa jeunesse peut-être, air qui ne m'était pas inconnu, que je me rappelais avoir déjà entendu sans pouvoir cependant me rappeler où et quand, c'était entraînant, rien de vieillot ni de nostalgique, un vieil air entraînant qui s'accordait si bien à la gaieté des gens qu'on aurait pu croire à n'importe quel moment que tout ce monde se mettrait à danser en même temps, que tout ce monde assis sur les bancs mais ne tenant pas en place, mais remuant, se trémoussant sans cesse, se lèverait soudain d'un même accord, spontanément, obéissant à je ne sais trop quel élan secret, et se mettrait à danser dans le soleil qui égayait tout.

Mais la traversée finissait, on entendait déjà le signal, il fallait débarquer, laisser la place aux gens qui feraient le trajet en sens inverse.

Julien m'attendait, il souriait sur le trottoir pendant que je marchais vers lui, c'était comme ça, ce samedi-là, c'était au commencement, Julien avait le temps, rien n'était encore arrivé, aussi simple que ça, ce samedi-là: je débarque, je vois Julien qui sourit, me fait signe sur le trottoir, je marche vers lui, il m'embrasse, du soleil plein la

figure, et il demande: «As-tu hâte?» riant déjà de ma
curiosité, de mon impatience; je dis: «Oui oui, j'ai hâte... je
me demande qu'est-ce... dépêchons-nous.» Ça lui fait
plaisir, il ne sait pas que ça m'est égal, qu'il peut
m'emmener où il veut, n'importe où et je le suivrai, il ne
sait pas et ma fausse impatience le réjouit; il dit: «C'est un
peu loin, as-tu envie de marcher?» Je réponds: «Oui, il fait
beau», et nous partons...

Nous étions partis ensemble sans nous presser, et les
gens sortis du traversier semblaient tous prendre le même
chemin que nous, se dirigeant tout comme nous vers
l'escalier qui menait au Vieux-Québec, et nous marchions
lui et moi au milieu de ces gens venus fêter les derniers
beaux jours d'automne dans les rues de la ville, tout était
simple, je me le rappelle, je me disais: la vie est belle, ou
une autre de ces expressions toutes faites qui remplacent
les mots qu'on ne trouve pas.

Je me le rappelle:

Il marche à côté de moi dans le soleil et il dit: «Il paraît
que c'est l'été des Indiens, c'est ce qu'on disait ce matin à
la radio, je n'ai pas de misère à le croire.» Nous marchons
sur le trottoir de la Grande-Allée et il dit encore: «C'est un
peu loin mais on fait bien de marcher, ça n'aurait pas de
sens de prendre l'auto par une aussi belle journée.» Il
m'effleure la joue de ses doigts: «On est bien à se
promener comme ça, tu ne trouves pas?» Et je souris,
marchant à côté de lui sur le trottoir de la Grande-Allée
sans savoir où je vais, où il m'emmène, sans même me le
demander puisque ça n'a aucune importance.

— C'est une surprise.

Je marche à côté de lui qui parle sans arrêt et parfois je n'écoute plus ce qu'il dit, j'en perds des bouts, il y a sa voix comme fond sonore et la chaleur qui grandit pendant que nous marchons lentement l'un à côté de l'autre sans nous toucher, sans avoir besoin de nous prendre la main ou le bras, juste marchant l'un près de l'autre, moi songeant: il fait chaud mais je n'enlèverai pas mon chandail pour éviter d'attraper un rhume, et me disant en même temps: la vie est belle, ou une autre de ces expressions toutes faites, et lui parlant toujours.

— Une belle surprise, tu vas voir, l'idée m'est venue en lisant le journal ce matin, tu vas être contente.

Je ne réponds pas, je ne dis pas que ça ne sert à rien, je suis déjà contente, qu'on pourrait s'arrêter ici, s'asseoir sur un banc et y passer l'après-midi, je serais tout aussi contente, je ne dis rien, je ne veux pas gâcher sa surprise, son plaisir, il a hâte, il m'entraîne et je le suis, je l'écoute, continuant à marcher avec lui dans le soleil, dans cette chaleur dont je me dis qu'elle n'a peut-être pas grand-chose à voir avec l'été des Indiens.

— C'est ça la surprise, dit-il, s'arrêtant soudain et montrant le Musée qu'on voit du trottoir, viens.

Il me prend par la main, rieur, sûr de lui, je ne comprends pas, je ne sais plus quoi penser, et tout en me conduisant il explique: «J'ai lu ça dans le journal ce matin.. une exposition de dessins... Luc Archambault... tu dessines, toi aussi, j'ai pensé que tu pourrais aimer voir ça.» J'entre avec lui, encore étonnée, incertaine, je fais le tour de la salle d'exposition, le suivant de près, comme lui prenant mon temps, regardant longuement chaque dessin et me disant: un monde, un autre monde; nous ne parlons pas, à peine Julien échappe-t-il de temps en temps une exclamation de surprise ou de contentement, je ne sais ni ne lui demande, trop occupée, absorbée par chaque nouveau dessin et ne cessant de me dire: ce travail, tout ce travail...

«C'était ça la surprise, es-tu contente?» avait demandé Julien, ce samedi-là, en sortant du Musée; nous nous étions assis sur un banc tout près, j'avais dit: «Oui, je suis contente», et il avait poursuivi: «Tu dessines bien, tu as du talent... si tu travailles régulièrement, tu pourras songer à une exposition, toi aussi... à un moment donné, pourquoi pas?... avec un travail régulier, quelques heures chaque jour...»

Il disait ça comme si de rien n'était, comme s'il n'y avait rien de plus facile au monde à dire et à faire, alors qu'à peine sortis du Musée le soleil nous avait repris, et je clignais des yeux, assise sur le banc, je ne disais rien, je n'osais pas dire: Tais-toi, tu ne sais pas de quoi tu parles, ni dire ce qu'il ne savait pas, ne pouvait pas savoir: comment je dessinais, pressée, serrée, pendant qu'Ève-Lyne dormait l'après-midi, comment je dessinais sur la table de la cuisine, pour lui pour moi je ne savais trop, quand il me restait un peu de temps.

Ça ne faisait que commencer, disait-il, j'avais l'avenir devant moi; mais je ne voyais pas d'avenir pendant qu'il parlait, je ne voyais que mon coin de table pour dessiner et mon peu de temps, et toutes ces années encore avec ce seul coin de table et ce peu de temps, je ne voyais que ça pendant que Julien, triomphant, faisait mes projets et montait mes expositions.

— Tu verras, Élaine, une fois partie...

Je n'avais rien dit, le soleil et la chaleur avaient eu le dessus et je m'étais mise à sourire en l'écoutant rêver tout haut.

Julien avait le temps, tout le temps, ce samedi-là, le ventre de sa femme n'avait encore ni bougé ni grossi, c'était encore comme s'il n'y avait rien dedans.

...

— **T**u pourrais les inviter à la manifestation, dit Marcelle.

— Qui ça?

— Les gens de ton cours de dessin.

— Quelle manifestation?

— Celle de samedi prochain à Ottawa. Je ne t'en ai pas parlé?... On finit d'organiser ça. Tu es sûre que je ne t'en ai pas parlé?... Une manifestation pour protester contre la neutralité du gouvernement canadien vis-à-vis du Salvador.

— Pourquoi vis-à-vis du Salvador? Tant qu'à y être, vous pourriez protester contre sa neutralité générale.

Elle éclate de rire:

— Depuis quand tu t'intéresses à la politique, toi? Ça doit être mon influence...

— Non non, je disais ça pour rire.

— Pour rire? La politique? Justement dans ma thèse, je...

— Marcelle!

— Bon, ça va. Qu'est-ce que je disais? Ah! oui, la manifestation... On attend des autobus d'un peu partout.

C'était déjà la guerre au Salvador, pas la guerre
ouverte, effectifs connus et armes égales, l'autre
guerre, celle d'en dessous (enlèvements, tortures,
assassinats), c'était déjà commencé, on en parlait presque
tous les soirs aux nouvelles télévisées; Bruno, qui n'aurait
manqué les nouvelles pour rien au monde, s'assoyait
devant la télévision chaque soir à dix-huit heures; parfois
je m'assoyais avec lui, parfois je restais dans la cuisine
avec Ève-Lyne qui n'avait pas fini de manger, qui ne se
pressait pas, s'amusant plus qu'elle ne mangeait, certains
soirs, et de la cuisine j'entendais tout; chaque fois qu'on en
parlait aux nouvelles, qu'on parlait de tous ces gens
enlevés, torturés, assassinés au Salvador, ces gens sans
âge ni visage, tous pareils, interchangeables dans la voix
monotone de l'annonceur, chaque fois je me disais: tout
ça, pour quoi?

Mais je ne le disais pas à Bruno, ça ne servait à rien,
je connaissais par cœur ses réponses, ses commentaires,
je savais d'avance qu'il dirait: C'est comme ça, qu'est-ce
que tu veux qu'on y fasse?

J'oubliais Bruno, je me disais: demain j'en parlerai à Julien, demain j'irai le rencontrer, j'irai avec lui dans cette chambre d'hôtel, et après l'amour, je m'assoirai dans le lit, et là, bien assise près de lui, mieux qu'assise, serrée, blottie, je lui dirai tout ça et il m'écoutera, il ne dira pas: «Qu'est-ce que tu veux qu'on y fasse?» il m'écoutera en fumant une cigarette, m'interrompant peut-être pour demander: «Je ne te boucane pas trop?» m'écoutera et dira même par moments: «Tiens, comme moi... comme moi...»

Ça m'était égal, en ce temps-là, d'écouter les nouvelles chaque soir sans dire un mot, retenant mes questions, mes soupirs, ça m'était égal parce que je pouvais encore me dire: demain.

Et Ève-Lyne, les mains dans son assiette, se mettait à rire.

Elle avait le rire facile, elle riait comme tous les enfants, un rien la mettant en gaieté, un mot, une expression du visage parfois et elle éclatait de rire; il y avait aussi des chagrins, des colères, de ça aussi parfois comme tous les enfants mais vite écartés, vite oubliés, et elle riait aussitôt que c'était passé, aussitôt après, elle était en train de rire et c'était si drôle de l'entendre, de voir les fossettes creuser ses joues rondes que souvent je riais avec elle.

— Elle était bien avec moi, dis-je à Luc (assise dans ce bureau où je venais deux fois par semaine les premiers temps, où je ne viens plus maintenant que le mercredi), ils peuvent bien dire ce qu'ils veulent ceux qui ont lu ça dans les journaux, elle était bien, elle riait, elle était comme tous les enfants, pas plus à plaindre que les autres (et je sais que j'ai l'air de me défendre, que ma voix a monté, que j'ai les joues rouges), ils ne le savent pas ceux qui ont lu ça dans les journaux, ils ne la voyaient pas rire.

Assise dans le bureau de Luc, les poings serrés, je crie presque: «Elle était bien avec moi!» Il répond: «Je n'en doute pas, Élaine, je n'en doute pas», et on dirait que tout est déjà plus calme.

— Elle ressemble à sa mère, disaient les gens de la famille ou d'autres, l'épicière, le facteur, tous croyaient me faire plaisir et je m'efforçais de sourire à ces gens qui ne voulaient que m'être agréables et qui n'auraient pas compris pourquoi ces mots légers, anodins, qu'on dit presque sans y penser en voyant ensemble mère et fille, me rendaient triste.

Triste de temps en temps.

Puis c'était venu plus souvent, de plus en plus souvent les derniers temps, une torpeur, une sorte de brouillard dont j'avais peine à sortir; je restais assise dans la cuisine, rivée au téléphone, ne voyant que ça, le téléphone qui pouvait sonner d'un moment à l'autre, qui sonnerait sûrement, je n'avais qu'à attendre, qu'à insister, il sonnerait... et soudain Ève-Lyne levait vers moi ses yeux ronds: «Maman! Maman!»

Excitée, trop excitée pour avoir le temps de chercher les mots, elle montrait de ses mains tendues la pyramide de blocs qui tenait en place comme par magie; ça tenait mais elle ne le disait pas, les mots ne venaient pas, elle criait juste: «Maman! Maman!» pour que je regarde vite, seul témoin, vite avant que ça croule et disparaisse; elle montrait les blocs, du rire plein la figure, et je sortais de ma torpeur (depuis quand étais-je assise ici? depuis quand empilait-elle ses blocs?); je souriais, j'enflais ma voix, je m'exclamais: «Oh! C'est beau! Bravo Ève-Lyne! Bravo!» et je lui donnais un baiser retentissant sur la joue; tout ça la faisait rire et, joyeuse et fière, elle retournait aussitôt à ses jeux; elle ne s'apercevait de rien, je faisais tout pour que ça lui échappe, je souriais, j'enflais ma voix, je donnais des baisers retentissants, tout pour qu'elle ne se doute de rien.

«Elle était bien avec moi», dis-je à Luc, assise dans son bureau comme tous les mercredis et me rappelant le temps où j'y venais deux fois par semaine, me rappelant le temps d'après le procès alors que je ne sortais de chez Marcelle, ne mettais les pieds dehors, hésitante et craintive, que pour rencontrer Luc deux fois par semaine, et en le quittant je ne me disais pas: je rentre chez nous (chez nous, c'était venu plus tard), je ne pouvais même pas me le dire, ça se passait juste après le procès, et cet appartement meublé, décoré, habité par une autre n'était pas chez nous, c'était chez Marcelle; je me disais: je rentre chez elle, je n'avais pas le choix, il fallait que je vive chez elle, c'était l'une des conditions, mais les premiers temps je ne parlais pas à cette femme, ils pouvaient m'obliger à partager son appartement, pas à lui parler, j'allais et venais sans la regarder ni lui adresser la parole, comme si elle n'était qu'un élément du décor.

Je quittais Luc deux fois par semaine, sachant que je ne rentrais pas chez nous mais chez elle, et je me dépêchais pourtant de rentrer, je marchais tête basse, me dérobant aux regards et songeant: j'ai beau vivre ailleurs, on ne sait jamais, quelqu'un pourrait avoir lu ça dans les journaux, s'en souvenir, me reconnaître... je marchais vite, les yeux baissés, et j'aurais aimé me dire: je rentre chez nous, ce ne sera pas long, chez nous à l'abri... mais je devais retourner chez elle, le juge l'avait dit; je me dépêchais, j'y allais au pas de course et parfois je m'arrêtais soudain, apercevant un chat, j'arrêtais sur le trottoir et j'attendais sans un geste que le chat, curieux, finisse par approcher pour me flairer, et il m'arrivait même de pouvoir le flatter, mais le plus souvent il déguerpissait avant, au premier mouvement vers lui; je songeais alors à Pluche dans sa boîte de carton et, en même temps que Pluche, je ne pouvais m'empêcher de revoir Ève-Lyne couchée sur le ventre dans son lit...

Vite je me dépêchais (les rues sont dangereuses, on ne sait jamais quand une auto ou un couteau...), je rentrais chez cette femme, je rentrais chez elle, plus décidée que jamais à ne pas lui parler, il y avait bien assez d'être obligée de vivre avec elle sans être obligée de lui faire la conversation, je rentrais parce que ça valait mieux que la prison.

Je ne retournerais pas en prison, le juge l'avait dit.

Assise dans le box des accusés, j'écoutais le long discours de l'avocat qui, tourné vers le juge mais s'adressant en même temps à la salle, disait: «Nous avons entendu ici même l'avis du psychologue, qui nous a affirmé qu'une sentence d'emprisonnement nuirait à l'accusée... nuirait au recouvrement de son autonomie, a-t-il dit, nous ne sommes pas en présence d'un cas criminel, ni d'une menace pour la société, ni d'une candidate à l'exemplarité dans la sentence, alors?... alors pourquoi l'emprisonnement?» demandait-il au juge qui ne se donnait pas la peine de répondre, sachant comme tout le monde que la question ne lui était pas adressée, qu'elle n'appelait pas de réponse, n'était qu'une phrase, un élément comme les autres du long discours.

L'avocat avait alors baissé le ton et d'une voix grave et déférente, qui contrastait avec la force de son discours, il avait continué: «C'est pourquoi, Votre Honneur, je recommande pour ma cliente l'émission d'une ordonnance de probation.»

Et ç'avait été tout.

«Il y a des conditions», disait Luc en prenant mon bras et en m'aidant à sortir de la grande salle (j'étais restée bien tranquille dans le box des accusés, le juge avait accepté la probation, c'était fini mais je ne pouvais pas me lever, quitter le box, marcher toute seule dans la salle, frôler ces gens qui savaient, qui avaient tout entendu, c'était trop, je ne pouvais pas, et je restais assise dans mon coin, attendant qu'ils soient tous partis, j'étais lasse tout à coup, je n'allais ni bouger ni me lever, je resterais dans la grande salle bientôt vide et silencieuse, ici à me reposer tout le temps que... mais Luc était venu, avait pris mon bras).

«Des conditions à respecter, Élaine... tu as entendu le juge?... tu dois vivre avec une travailleuse sociale, continuer à me rencontrer deux fois par semaine, te remettre à étudier ou travailler... pour un certain temps», disait-il de sa voix douce que rien ne semblait jamais pouvoir troubler, pendant que je l'écoutais, apeurée, me disant: pourquoi me font-ils ça? pourquoi me demandent-ils ça? je voulais juste la paix, et rentrer chez nous.

Et je disais à Luc: «Je ne serai jamais capable... vivre avec une inconnue, étudier, travailler... je ne suis pas capable, je suis trop fatiguée.» Et le tenant par le bras, je ne voulais que rentrer chez nous, me coucher, dormir des jours et des jours, dormir tout le temps que je... mais je devais le suivre chez cette femme, je passais mon temps à demander pourquoi, et j'avais été prise de fou rire quand Luc avait répondu de sa voix tranquille: «Ils mettent toutes les chances de ton côté.»

Elle n'avait aucune chance, je le savais; je les voyais chaque jour autour d'elle, pressants, insistants, ils ne lui laissaient aucune chance; elle était si petite, deux ans à peine, un bébé, et ils étaient déjà alentour, lui disant: «Une gentille petite fille, ça ne suce pas son pouce... une gentille petite fille, ça ne crie pas... ça ne se salit pas.» Et ils m'observaient, comptant que je dise comme eux, alors que je n'avais qu'une envie: qu'ils se taisent, qu'ils la laissent tranquille, mais je ne disais rien, c'étaient des gens de la famille ou d'autres, l'épicière, le facteur, tous des gens bien intentionnés, et elle n'avait aucune chance, ils étaient trop, ils étaient partout et ils répétaient tous la même chose; dans les soirées de famille, à l'épicerie, à la clinique médicale ou ailleurs, il s'en trouvait toujours une ou un pour lui dire: «Une gentille petite fille, ça ne suce pas son pouce... ça ne crie pas...»

Ève-Lyne levait alors des yeux étonnés, cessait de crier, de sucer son pouce ou quoi que ce soit d'autre, impressionnée par le ton à la fois mielleux et réprobateur, et me regardait, l'air de demander: Qu'est-ce que je fais? mais je ne pouvais rien dire devant la dame souriante qui attendait son tour à l'épicerie ou à la clinique médicale, je ne pouvais pas dire à Ève-Lyne: «Ne t'occupe pas d'elle, continue», pas devant cette dame qui le répéterait à tout le monde, qui irait répétant partout: «La mauvaise mère, la mauvaise mère!» Il n'y avait rien à faire contre ces gens, alliés, complices, postés en tous lieux et s'étant tous donné le mot, je ne savais que me dire: ça n'a pas de bon sens, c'est déjà perdu, perdu d'avance.

Et je la prenais, la serrais, la berçais en chantant: «Sur le grand mât d'une corvette un petit mousse...» et elle riait, essayant de chanter aussi, ne comprenant pas pourquoi ça arrivait comme ça, sans raison, tout de suite en rentrant de chez sa grand-mère, de l'épicerie ou de la clinique médicale, pourquoi à peine rentrées, je la prenais vite dans mes bras et j'allais la bercer en chantant «Sur le grand mât d'une corvette»; n'y comprenant rien mais essayant, elle aussi, de chanter, elle riait.

Ils ne lui laissaient aucune chance mais c'était fini maintenant, elle leur échapperait, nous allions partir, elle et moi; Ève-Lyne dormait couchée sur le ventre, c'était silence tout autour; il y avait une sorte de brouillard dans la chambre et jusque dans ma tête (toute cette bière peut-être), j'étais bien, nous allions partir, il le fallait, partir vite, se mettre à l'abri; brouillard dans la chambre, dans ma tête, j'ai le couteau de cuisine à la main et je ne tremble pas.

...Viens, Ève-Lyne, viens mon bébé.

...

— **D**es autobus d'un peu partout, dit Marcelle. C'est une grosse affaire. Nous autres, on part samedi matin de bonne heure, vers six heures. As-tu envie d'embarquer?

— Je sais pas... tout ce monde... tu sais, les rassemblements et moi... Laisse-moi le temps d'y penser.

— Prends ton temps, c'est pas un ultimatum, dit-elle en se mettant à rire.

Cette manifestation lui importe, je le sais, cette manifestation et toutes les autres, Marcelle est comme ça, toujours prête à embarquer, entraîner, manifester, à signer des pétitions, des protestations. C'est peut-être à cause de son travail, tout ce que son travail lui fait voir, savoir, elle ne m'en parle pas, jamais de détails, juste une ou deux phrases échappées certains soirs en rentrant, et cet air préoccupé, presque malheureux, quand elle dit, cessant tout à coup de placer les assiettes sur la table et fixant je ne sais quel point fixe sur le mur: «Il y a des gens pour qui on ne peut pas grand-chose»; et elle ajoute, baissant la voix: «Et dire qu'on voudrait tant...»

C'est peut-être à cause de son travail, toutes ces manifestations, je ne sais pas.

Je ne sais pas ce qui s'est passé ni comment ça s'est passé; je n'ai jamais demandé à Marcelle quand elle l'avait su, si elle l'avait lu dans les journaux ou l'avait appris de Luc, je n'ai jamais cherché à savoir.

Peut-être a-t-elle lu les journaux alors qu'ils parlaient de moi, a-t-elle lu cette histoire dans l'autobus qui la ramenait chez elle après son travail, et elle était rentrée préoccupée, malheureuse, se disant: tous ces gens pour qui on ne peut pas grand-chose, ou le disant à haute voix dans la cuisine silencieuse.

Et il y avait une manifestation, le soir, une manifestation contre l'invasion de l'Afghanistan, l'emprisonnement de Charansky ou l'arrestation d'Andrei Sakharov et elle était là, ce soir-là, pendant qu'ils parlaient de moi dans leurs journaux (monstre, meurtre, procès), elle était dehors en plein hiver, habillée comme si elle partait en expédition au Pôle Nord, elle était là marchant, piétinant ou dansant, mais bougeant sans cesse pour se réchauffer, elle tenait une pancarte, criait et scandait avec

les autres: «Droits de l'homme! Droits de l'homme!» criait:
«Honte! Honte!» sa pancarte à bout de bras, sa voix mêlée
à celle des autres, criant sans se lasser et bougeant tout le
temps pour ne pas laisser le froid la gagner; elle y était,
sans plus songer à ce qu'elle avait lu de moi dans les journaux ni à ce qu'elle voyait tous les jours à son travail, n'y
songeant plus et ramassant tout ça dans un même cri, elle
scandait avec les autres, dehors en plein hiver: «Droits de
l'homme! Droits de l'homme!»

Mais peut-être n'y avait-il pas de manifestation ce
soir-là, peut-être a-t-elle décidé, après souper, d'écrire une
lettre au journal pour se plaindre et dénoncer («...dénoncer
la façon étroite et superficielle dont l'affaire est traitée
dans votre journal; vos lectrices et lecteurs ont droit, il me
semble, à une information intelligente et n'ont rien à faire
d'un rabâchage de préjugés et d'un sensationnalisme
de...»), ça n'aurait pas été la première fois, elle en a
l'habitude, elle écrit souvent aux journaux; parfois, je
trouve qu'elle exagère mais quand j'essaie d'imaginer tout
ce qu'on a pu dire de moi dans ces journaux, ce qu'on a pu
inventer et colporter, je ne sais plus trop.

Et ils ne devaient pas être mécontents, les autres, les
gens tranquilles qui n'écrivent pas aux journaux, ne par-
ticipent pas aux manifestations, ne feraient pas de mal à
une mouche, pas mécontents du tout de cette nouvelle affaire dans les journaux, ça faisait de quoi s'occuper, de
quoi parler et se scandaliser; ni manifestation ni lettre aux
journaux mais, chaque semaine, un peu d'imprévu, un
peu d'aventure et de frisson grâce à ce petit journal qu'ils
avaient hâte d'acheter le samedi matin, excités d'avance

par ce qu'ils pourraient y découvrir, impatients de savoir
quel nouveau meurtre, quelle nouvelle orgie, quel nouveau
maniaque... et cette fois-ci, ils étaient comblés (et un
curieux chatouillement, qui n'était pas désagréable, devait
les parcourir), cette fois-ci, fait rare (heureusement,
devaient-ils s'empresser de penser), une mère tuait son enfant, portée, mise au monde, nourrie et soignée pendant
deux ans, elle la tuait de sang-froid, c'était là, imprimé en
toutes lettres sur la première page: «FILLETTE DE DEUX
ANS POIGNARDÉE À MORT PAR SA MÈRE», et il y
avait même une petite photo de l'enfant entre les mots
POIGNARDÉE et *À MORT*.

La télévision donnait les dernières nouvelles du
Salvador, du Salvador ou d'ailleurs, quelle importance?
puisqu'ils ne regardaient ni n'écoutaient et, le journal sous
les yeux, ils passaient par toute la gamme des émotions,
s'attendrissant, s'irritant, s'indignant tour à tour, et il se
trouvait toujours quelqu'un qui pouvait être pris à témoin
dans la pièce, dans la maison ou au téléphone, quelqu'un
pour écouter et approuver.

— Encore une détraquée, y en a partout, penses-y,
faut pas être ben normal pour faire une chose comme ça,
ouais une autre détraquée, on dirait que ça court les rues,
on n'a jamais vu ça, c'est pire que pire, j'espère au moins
qu'y vont l'enfermer celle-là, on sait jamais, ç'a l'air d'être
à mode de les relâcher à mesure pis nous autres pendant
ce temps-là, nous autres les honnêtes citoyens, on n'est
pas plus protégés qu'y faut avec tous les fous qu'y
relâchent pis qui rôdent...

Et l'homme, assis à côté de celui qui parlait, avait levé

les yeux de son journal et approuvait («Ouais, tu peux l'dire») pendant qu'assise derrière eux dans l'autobus, je m'étais mise à trembler, léger, imperceptible tremblement qui aurait pu être mis sur le compte de l'humidité, mes vêtements et ceux des autres passagers étant tous plus ou moins trempés par la pluie, mais c'était autre chose, c'était le danger tout à coup, la certitude du danger, il fallait que je sorte, je n'aurais pas dû prendre l'autobus, me disais-je, j'aurais dû me méfier, me rendre chez Luc à pied malgré la pluie, mais c'était une de mes premières visites après le procès, il pleuvait beaucoup et je ne savais pas que... et assise derrière les deux hommes d'âge moyen, dans l'autobus humide et pleine de gens boudeurs, contrariés par le mauvais temps, je cherchais des yeux la sortie, tout s'embrouillait.

Ça partait, ça revenait, embrouillé.

Le souvenir d'un documentaire déjà vu à la télévision, je ne savais où ni quand, un documentaire sur les otaries, ça revenait et se déroulait pendant qu'affolée («Ouais, qu'y l'enferment», disait l'autre), je me retenais de bouger de peur qu'ils se retournent, qu'ils... et d'une voix grave, toujours égale, le commentateur disait: «Chez les otaries comme chez d'autres espèces animales, le membre du groupe qui est blessé, trop faible ou trop vieux, est la plupart du temps achevé par ses congénères...» Invisible, l'homme lisait ou récitait son texte d'une voix monotone, indifférente, en même temps que, sur l'écran, apparaissait en gros plan une otarie blessée: du sang coulait sur sa peau luisante et elle se plaignait, à l'écart des autres, faible plainte à peine audible qui aurait pu passer pour tout autre chose qu'une plainte si l'on n'avait vu que...

D'un même accord, d'un seul mouvement spontané, les otaries du groupe se dirigeaient vers elle, qui se plaignait un peu plus en les voyant approcher, l'entourer, se plaignait différemment, mais bientôt ne se plaignait plus, ou se plaignait encore sans qu'on l'entende car on n'entendait plus que les cris des autres qui se jetaient sur elle, mordaient, déchiraient, il y avait du sang partout, et ça poussait, ça grouillait, masse de chair luisante, ça bougeait de partout, ça poussait des cris rauques, et le commentateur invisible continuait: «Les lois de la nature sont impitoyables...»

Presque en même temps, l'homme devant moi disait: «Ouais, qu'y l'enferment, qu'y protègent les honnêtes citoyens», je ne savais plus où allait cet autobus, jusqu'où ils essayeraient de m'emmener, il fallait sortir (d'un moment à l'autre l'un des deux hommes pouvait se retourner), sortir au plus vite, et tremblante, la main gauche devant le visage pendant que de l'autre main je me tenais aux bancs, j'avais réussi à gagner la sortie, à descendre.

À peine sur le trottoir, je m'étais mise à courir... courir, ce n'est pas fini, ils sont sortis eux aussi, ils sont derrière moi, je les entends, ils courent dans mon dos, ils me poursuivent, vite arriver chez Luc, vite avant qu'ils me rattrapent...

Et j'étais entrée chez Luc en coup de vent, sans sonner, trempée, essoufflée, criant: «Vite! Barre la porte! Ils s'en viennent! Vite! Vite!»

La porte était fermée à clé, j'étais en lieu sûr, je

reprenais mon souffle; ils pouvaient m'attendre dehors, m'attendre aussi longtemps qu'ils le voudraient, montant la garde, se relayant, surveillant jour et nuit, ils pouvaient faire l'impossible, je ne ressortirais plus d'ici, jamais plus.

Et j'avais dit à Luc: «Je ne veux pas sortir, je vais rester ici maintenant, ce sera ma cachette, tu m'apporteras à manger de temps en temps... je ne peux pas sortir, ils sont là, ils m'attendent», lui disais-je en enlevant mon manteau trempé, en essuyant mes cheveux avec la serviette qu'il m'avait tendue; je ne tremblais plus maintenant, je serais à l'abri ici.

Luc n'avait rien dit depuis mon arrivée, se contentant de fermer la porte à clé comme je le demandais et de m'apporter une serviette pour sécher mes cheveux; je disais: «Écoute, ils sont là, ils essaient de ne pas faire de bruit pour qu'on les croie partis mais ils sont encore là...», et il écoutait avec moi sans rien dire, l'air un peu triste; je m'étais recroquevillée dans le fauteuil pour me réchauffer et, ne sachant quoi faire, quoi inventer pour Luc qui ne disait toujours rien, j'avais commencé à parler du documentaire: «Ce documentaire, l'as-tu déjà vu? un documentaire sur les otaries...» Il avait dit: «Non mais ça m'intéresse, raconte-moi ça», s'assoyant en face de moi, m'écoutant attentivement, et on aurait même dit, à mesure que je racontais, qu'il avait l'air moins triste.

...c'est vrai, il semble moins triste.

Il se laisse glisser sur le tapis et là, assis à l'indienne près de moi, il dit: «Sais-tu ce que j'ai envie qu'on fasse aujourd'hui? un jeu de rôle.» D'habitude, j'aime ce jeu, cette sorte de théâtre qu'on invente au fur et à mesure, il suffit d'un rien, une idée de Luc parfois ou un mot, une phrase que j'ai échappée, prononcée sans trop y penser, et Luc dit aussitôt: «Si on faisait un jeu de rôle là-dessus?» comme s'il sentait qu'il y a dans cette idée, ce mot ou cette phrase, ce qu'il nous faut pour jouer, et ça suffit, on y va, inventant des personnages et des situations, ou plutôt croyant qu'on les invente parce qu'on ignore d'où ils viennent, et on joue le jeu, on ne sait jamais où tout ça nous mène, parfois ça reste léger, inoffensif, mais d'autres fois ça fait peur, c'est plein de danger, on ne sait jamais où ça peut nous mener ou nous ramener, ce jeu-là.

Et Luc, assis à l'indienne près de moi, demande: «Un jeu de rôle, qu'est-ce que tu en dis?...» J'hésite, je suis encore fatiguée de ma course, je préférerais rester dans le fauteuil, recroquevillée, retrouvant peu à peu ma chaleur, mais Luc y tient, ça insiste dans ses yeux, et je me dis: allons-y, si je dois rester ici maintenant, j'aurai bien le temps de ne rien faire.

«C'est une idée qui m'est venue en écoutant ton histoire, dit Luc, on va jouer aux otaries, je serai le commentateur, et toi l'otarie blessée, ça te va?...» Je ne suis pas sûre de trouver ce jeu-là très drôle mais je dis oui, je me laisse aller, me roulant en boule sur le tapis et me concentrant comme il faut pour bien jouer; j'entre dans la peau de l'otarie:

Je suis une otarie.

Et je dis: «Je suis blessée, un combat, un adversaire plus fort, blessée, du sang coule sur ma peau, je me sens faible.» Et le commentateur reprend: «Elle se sent faible à cause de cette blessure, ce sang qui coule d'elle, faible tout

à coup, désarmée, vulnérable.» Un court arrêt et il continue: «Jusqu'alors elle était comme les autres, grande,
forte, courageuse parmi les autres mais voilà qu'à cause
de cette ouverture dans sa peau, de ce sang qui sort d'elle,
il y a la peur, toutes sortes de peurs, elle cherche, elle a
besoin de... et à ce moment-là, elle les voit qui appro-
chent, pas secourables ni protectrices, comme elle l'aurait
voulu, l'espérait encore, mais menaçantes, et elle comprend du même coup ce qu'elles veulent, ce qui se prépare, ce qui va arriver...»

Je me lève, je dis: «Non, non, on arrête là.»

Sans même me regarder, il dit d'une voix sèche: «Pas
question, c'est le jeu, on continue.»

Et moi, l'otarie blessée, voyant les autres qui avan-
cent toujours, je commence à trembler. «Elles l'entourent,
criardes, menaçantes, dit le commentateur, et elle tremble, elle ne veut pas que ça se passe comme ça, il y a quelque chose en elle qui proteste, qui résiste, mais elle ne sait
pas quoi faire, elle se sent faible, impuissante.» Le commentateur se tait un moment et, lorsqu'il reprend la
parole, il se met à parler à l'otarie: «Elles te croient faible,
impuissante, elles croient que ça va être facile, que tu vas
te laisser faire, mais ce n'est pas vrai, il y a encore ce désir
et cette vie en toi, les sens-tu? replie-toi, va les chercher,
ce désir et cette vie, ramasse-les, déploie-les, tu es capable, fais-leur voir, fais-leur peur, c'est là en toi, encore
chaud, vas-y, montre-leur, crie! De toutes tes forces!
Crie!»

... je criais.

Je m'étais redressée soudain, terrorisée mais résolue

à me défendre, à résister jusqu'au bout, et je m'étais mise à crier, il y avait eu un immense cri tout à coup sorti de moi, un cri à me fendre la poitrine.

Je criais, ça montait, grossissait, ça n'arrêtait plus, et ensuite, quand ç'avait été fini, j'étais restée longtemps debout à regarder Luc, muette, étonnée, incrédule, ignorant jusqu'alors qu'il y avait ça, cette chose, ce cri en moi, que c'était en moi prêt à sortir, cet immense cri, ce cri interminable.

Et lorsque Luc avait ouvert la porte sur la rue pluvieuse en disant: «Tu vois, ils ont eu peur, ils sont partis, tu t'es bien défendue», je n'avais pas été surprise, je savais qu'il n'y aurait personne, qu'ils auraient tous fui, épouvantés par mon cri.

Ça m'est arrivé quelques fois ensuite, les premiers temps de ma vie chez Marcelle: c'était le soir, nous étions assises au salon, elle lisait pendant que je ne faisais rien, incapable de me concentrer ou de m'occuper, troublée par toutes sortes d'images mais l'image de cette porte surtout, derrière laquelle dormait Ève-Lyne, et l'image de ce qui s'était passé derrière cette porte, de ce qui s'y passait encore, inchangé, interminable, chaque fois que, fascinée, je ne pouvais m'empêcher d'y revenir, l'ouvrant et refaisant... c'était comme ça, c'en était là quand j'avais soudain entendu des bruits au dehors et d'un seul coup la peur m'était revenue, la peur et la certitude que c'était eux, qu'ils m'avaient repérée et s'en venaient, seraient bientôt là, hargneux, prêts à défoncer la porte, ne me laissant pas le choix: «Tu sors ou on défonce!» J'étais terrifiée, incapable d'un geste ou d'un appel vers Marcelle qui n'avait rien entendu et continuait à lire paisiblement.

Il n'y avait plus qu'à me cacher, me cacher vite et bien, et je me préparais à courir vers la chambre pour m'y glisser sous le lit lorsque je m'étais rappelée Luc et nos rencontres et le jeu de l'otarie cette fois-là; c'était difficile, plus difficile que de se glisser vivement sous le lit mais je savais qu'il fallait le faire, que c'était important, et malgré la peur, le tremblement (ils étaient à la porte, prêts à entrer n'importe quand), je m'étais levée et j'avais crié.

Marcelle avait aussitôt poussé un cri elle aussi, effrayée, les yeux fous, cherchant partout autour d'elle, cherchant un voleur, du feu ou je ne sais quoi; j'avais été incapable de parler, de lui expliquer ce qui se passait, ça ne se disait pas, il n'y avait que Luc et moi... et je ne savais pas parler, je parlais si peu, si mal avec elle, les premiers temps.

J'avais dit: «Excuse-moi», je m'étais rassise, et elle n'avait rien demandé, elle avait juste dit, un peu haletante: «Si tu savais comme j'ai eu peur», ne demandant rien mais en parlant sûrement à Luc le lendemain ou les jours suivants puisqu'elle le voyait de temps à autre et qu'ils parlaient alors de moi, je le savais, mais c'était entre eux, ça ne m'intéressait pas, je ne questionnais jamais Marcelle là-dessus.

Ça n'arrive plus maintenant, il y a longtemps que ça n'est pas arrivé, cette grande peur, cet affolement, et j'en ai parlé à Luc, la dernière fois, j'ai dit: «Déjà des mois que ça ne s'est pas produit», et ce n'est pas dans sa voix lorsqu'il a dit: «Ça va bien, on fait du bon travail, Élaine», c'est surtout dans ses yeux que j'ai tout de suite vu qu'il était content.

...

— C'est pas possible! s'exclame Marcelle en relevant la tête.

Elle avait repris son livre depuis un bon moment, tout semblait calme et voilà que je ne sais quelle phrase, quelle révélation la fait basculer une fois de plus dans l'effervescence. Ça lui ressemble, ces indignations, ces colères ou ces désespoirs parfois en lisant.

— Tu ne devrais peut-être pas lire ce genre de livre avant de te coucher, dis-je, un peu pour la taquiner, ça finit toujours par te mettre à l'envers.

Elle n'entend pas, ou fait celle qui n'a rien entendu, se lève et marche de long en large, tenant le livre dans sa main droite, un doigt glissé entre deux pages.

— Tu ne sais pas ce que ça me fait de lire des choses comme ça... et savoir que ça se passe vraiment, en ce moment, au Salvador ou ailleurs... et on ne fait rien... qu'est-ce qu'on peut bien faire?

— La manifestation...

— La manifestation... oui c'est vrai... c'est au moins ça.

Elle semble se calmer, ralentit le pas puis s'arrête tout à fait, répétant à mi-voix: «La manifestation, c'est vrai...» L'air un peu fatigué, elle s'assoit, se remet à lire et m'oublie de nouveau dans l'appartement silencieux.

Elle était jeune et vive, boule de poil roux quand elle s'endormait tassée dans le fauteuil, mais tout à coup si longue quand elle se mettait à s'étirer en s'éveillant, et chaque fois nous partions à rire, Ève-Lyne et moi, en voyant Pluche sortir la tête de sa boule de poil roux, se déplier, s'étirer et devenir longue soudain; Ève-Lyne riait et prenait Pluche dans ses bras, elle avait toutes sortes d'idées, des idées d'enfant, voulant parfois habiller la chatte ou la mettre dans un berceau de poupée pour l'endormir, des idées d'enfant comme si Pluche n'était qu'une poupée, une espèce de poupée moins commode, moins docile que les autres, mais poupée quand même qui finirait bien, comme toutes les poupées, par se laisser faire.

«Dodo Pluche! Dodo!» ordonnait Ève-Lyne en couchant la chatte dans le berceau de poupée puis elle se mettait à chantonner un air de son invention en même temps qu'elle la berçait, et on aurait dit que Pluche se laissait faire, que cette mise en scène lui plaisait, qu'elle allait s'endormir, et Ève-Lyne, satisfaite, desserrait un peu son étreinte, tenant la chatte de moins en moins fort puis ne la tenant plus du tout, chantonnant seulement, elle balançait le berceau, et Pluche, les yeux mi-clos, semblait prête à s'endormir quand soudain, ne faisant qu'un bond, elle sautait du berceau et disparaissait sous un meuble.

Ève-Lyne poussait un cri strident; si j'étais dans la même pièce qu'elle, je savais aussitôt ce qui s'était passé et même si je n'y étais pas, je le savais presque aussitôt, Ève-Lyne accourant vers moi et ne cessant de répéter: «Méchante Pluche, méchante Pluche», pendant que la chatte, cachée je ne sais où, peut-être encore sous le meuble, peut-être déjà ailleurs (on ne la voyait ni ne l'entendait nulle part), attendait que ça finisse, qu'Ève-Lyne reprenne son jeu, préférant une vraie poupée cette fois, et lorsque c'était fait, lorsqu'Ève-Lyne avait recommencé à chantonner, qu'elle chantonnait depuis un bon moment, balançant le berceau et oubliant le reste, la chatte, lente et digne, sortait de sa cachette.

Et m'assoyant par terre, je la regardais dormir dans le fauteuil du salon, encore pleine des odeurs et des secrets de la nuit, bien au chaud, bien à l'abri dans son poil, indifférente à tous les remue-ménage, et je lui disais: «Toi, tu as encore couru la galipote toute la nuit...» mais elle ne bronchait pas, ne remuait même pas les oreilles, mes mots se perdaient alors que je restais là, assise par terre, à la regarder dormir, fascinée par ce mystère l'entourant, elle et ses tournées nocturnes et ses réapparitions au petit matin, fascinée par cette autre vie sombre, sauvage, dont je ne connaissais rien et qui, lorsque je tentais de l'imaginer, m'attirait et m'effrayait à la fois.

Elle avait toute la vie, tout le temps pour elle, ces

matins-là, quand elle rentrait, pressée, et courait en miaulant vers son plat de nourriture, puis satisfaite, repue, se
couchait dans le fauteuil, léchant son poil, ronronnant et
s'endormant bientôt.

Toute la vie, tout le temps pour elle.

Mais ça ne voulait rien dire, toute la vie tout le temps,
des mots, ballons gonflés, de l'air, ça ne voulait rien dire,
je l'avais oublié, et ça revenait pourtant, ça s'imposait, dur
et clair, cet après-midi-là quand je ramassais la chatte
écrasée au bord du trottoir, remplissant ma pelle de ce
paquet de chair flasque et le jetant ensuite dans une boîte
de carton, sans haut-le-cœur, sans recul ni hésitation puisque ça ne voulait rien dire, puisque ce n'était que ça, toute
la vie tout le temps, que ce paquet de chair flasque qui s'en
irait pourrir dans une boîte de carton au milieu d'autres
ordures, rien que ça, je l'avais oublié.

«Ça fait dur au Salvador, t'as lu ça? tous les habitants
d'un village massacrés, il s'en passe des belles là-bas»,
disait Bruno, me regardant par-dessus le journal qu'il
s'était mis à lire en rentrant, mais je n'avais pas eu le
temps de répondre, il avait de nouveau relevé son journal
et je ne le voyais plus.

(J'avais imaginé ce moment-là tout l'après-midi, il
allait rentrer à la même heure que d'habitude mais ça ne se
passerait pas comme d'habitude, non, il fallait que ça se
passe autrement, je l'avais imaginé tout l'après-midi, il rentrerait et je lui parlerais, il fallait lui parler aujourd'hui, lui
parler à tout prix, lui dire: «Ça n'est pas possible, continuer comme ça, sourds, muets, étrangers, ça n'est pas
possible.» Il allait rentrer, j'allais m'asseoir près de lui, lui

parler, c'était aussi simple que ça... et je m'étais assise près de lui pendant qu'il dépliait le journal, je me préparais à parler, je commençais, je disais presque: Écoute, Bruno, lorsqu'il y avait eu tout ce papier dressé soudain devant moi.)

Et je ne savais plus quoi dire.

— Il s'en passe des belles là-bas, avait-il dit, me regardant par-dessus le journal, et tout de suite après il avait disparu, il n'y avait plus que du papier, et moi qui me taisais, incapable de faire venir ce que j'avais préparé tout l'après-midi, ces mots bien mis bien cordés, ça ne venait pas et je n'avais réussi qu'à dire, maladroite: «Il s'en passe des belles ici aussi...» seulement ça, ne sachant comment aller plus loin et m'efforçant de tout faire passer dans ma voix puisqu'il ne me voyait pas; il avait relevé la tête, plissé les yeux, hésité: «Ici aussi?»

Puis se reprenant, sûr de lui, il avait continué: «Oui ici avec le gouvernement pourri qu'on a...» et j'étais restée là sans dire un mot, assise près de lui à attendre je ne sais quoi, qu'il finisse son journal, qu'il se lève, qu'il demande: «Le souper est prêt?» Je m'étais dit une fois de plus: ça ne vaut pas la peine, ça ne viendra jamais, je suis fatiguée d'attendre.

Attendre.

Julien qui ne donnait pas de ses nouvelles, le téléphone qui ne sonnait presque plus, et quoi encore? attendre quoi? me disais-je ce soir-là, près de Bruno caché par son journal, j'en avais assez d'attendre, j'allais téléphoner à Julien, lui téléphoner demain et il m'écouterait, il faudrait bien qu'il m'écoute, lui téléphoner et dire les mots qui venaient comme ils venaient, dire: «C'est difficile tout ce temps sans te voir, sans te parler... j'ai besoin... de temps en temps... besoin...» tout dire comme je le faisais avant, lorsqu'il m'écoutait sans s'esquiver, lorsque les mots ne lui faisaient pas peur et qu'il m'écoutait jusqu'au bout.

«Oui c'est moi, avait répondu Julien au bout du fil, il y a longtemps que je n'ai pas eu de tes nouvelles, Élaine, qu'est-ce que tu deviens?...» Et je m'étais dit aussitôt que j'avais bien fait... oui j'ai bien fait, me dis-je un instant, dans la joie de réentendre sa voix, puis je ne sais plus, j'hésite à cause de cette voix que je ne reconnais pas tout à fait, qui n'est pas tout à fait la même, prudente dirait-on, retenue, sur ses gardes, j'hésite mais il ne faut pas, il faut dire les mots qui viennent comme ils viennent, et je commence: «Tout ce temps sans te voir, sans te parler, c'est difficile...» et je continue: «J'ai besoin... de temps en temps...»

Il y a un long silence au bout du fil, un de ces silences comme il n'y en a jamais eu entre nous.

«Tu comprends, commence-t-il laborieusement, tu sais, il faut que tu comprennes, la situation a un peu changé depuis...» et partagée entre l'envie de raccrocher et celle de crier: «Non je ne veux pas comprendre! Je ne veux pas!» incapable de faire l'un ou l'autre, j'écoute.

— Tu comprends, répète-t-il, il faut que tu... je ne t'ai jamais fait de promesse, pas vrai? jamais rien laissé espérer, tu as toujours su que j'étais pris ailleurs, et là... tu comprends, avec le bébé qui s'en vient... tu sais ce que c'est... mais c'est temporaire, après tout on est des adultes tous les deux, il faut que tu.. t'es capable de comprendre ça, de composer avec cette situation-là, t'as pas besoin de...

Partagée entre l'envie de raccrocher et celle de crier: «Tais-toi! C'est pas vrai! J'ai besoin de...» mais incapable de faire l'un ou l'autre, je dis: «De temps en temps, juste de temps en temps...»

D'une voix enjouée, moqueuse, riant presque, il reprend: «Ah! les bonnes femmes! les bonnes femmes!» alors que moi, pour qu'il finisse par entendre ce qu'il se refuse à entendre, je répète, obstinée: «De temps en temps, juste de temps en temps...»

Perdant patience, il dit sèchement: «Ça suffit, Élaine! qu'est-ce que ça te donne de couper les cheveux en quatre? où ça te mène tout ça?...» et je sais aussitôt que tout est fini, même s'il se reprend, conciliant, même s'il tente de combler la fissure avec ses mots («Rien de changé, tu sais bien»), croyant peut-être à ce qu'il dit ou n'y croyant même pas et essayant juste d'adoucir la fin, comment savoir? mais quoi qu'il en soit, s'y prenant trop tard et parlant pour rien.

Et je reste là, le récepteur à la main, sans bouger, combien de temps ainsi? sans raccrocher, m'appuyant au mur et me disant: lui aussi, lui aussi...

Il y avait cinq ou six bouteilles de bière vides sur la table de la cuisine et je venais d'ouvrir une autre bière lorsque, songeant à Ève-Lyne qui dormait dans sa chambre, je m'étais mise à pleurer; je pleurais, sans cesser de boire, et ça coulait le long des joues, le long de la bouteille (Ève-Lyne qu'ils guettent, qu'ils sont là à attendre, postés, cachés partout, personne à qui se fier, des menteurs, des voleurs, des traîtres partout, et elle qui ne sait pas, qui ne peut pas savoir, mais je ne les laisserai pas faire, je vais la

cacher, nous cacher toutes les deux), et tout de suite
après le couteau de cuisine n'était plus accroché au mur.

Je montais l'escalier lentement, me tenant à la rampe
pour ne pas tomber, j'avais peut-être trop bu, c'était calme
maintenant, ce serait calme, Ève-Lyne et moi toutes les
deux loin d'ici, bien cachées; j'avais ouvert la porte, elle
dormait, couchée sur le ventre, et je ne tremblais pas.

... Viens, Ève-Lyne, viens mon bébé.

...

— **Q**uoi? demande Marcelle, relevant la tête.

— Rien, j'ai rien dit.

— J'ai entendu... tu as dit quelque chose... parles-tu toute seule maintenant?

Et moqueuse, elle ajoute: «Sais-tu que c'est un signe de vieillissement, ça?»

Pouffant de rire, elle se remet à lire.

Ça doit m'arriver de parler toute seule quand Marcelle n'est pas là, je ne sais pas, je ne m'en aperçois pas mais ça doit m'arriver, un mot qui sort tout haut, un mot qui émerge de la danse des images dans ma tête, qui enfle, qui est à l'étroit, qui pousse et finit par sortir sans que je m'en aperçoive, vite avalé par l'air, dissipé sans même que je m'en sois aperçue, déjà entraîné ailleurs par les images dansantes de ma tête, ça doit arriver.

Ça arrivait souvent, les derniers temps à la maison, pas un mot par hasard, un mot sorti tout haut, sans que je m'en aperçoive, mais des phrases, je parlais toute seule, je le savais, ça me réconfortait, cette voix, ma voix encore chaude et vivante dans la pièce silencieuse, cette voix qui venait de moi et m'enveloppait quand j'étais seule l'après-midi; Ève-Lyne dormait dans sa chambre et je n'étais plus capable de dessiner, les derniers temps, même plus capable de dessiner, me disais-je, quittant la table de la cuisine, laissant là mes papiers, mes crayons, et m'en allant m'asseoir par terre près de Pluche endormie dans son fauteuil.

Et après, quand Pluche n'était plus là, quand elle reposait, puante et pourrie, dans sa boîte de carton, je m'assoyais encore à la même place, près du fauteuil vide, et je parlais encore: «Même pas capable de dessiner, disais-je, ça n'a pas de bon sens...» Et je me plaignais: «Je suis fatiguée, j'en ai assez...» Et je menaçais: «Si ça continue...» Je n'avais pas peur de parler, de le dire tout haut dans la maison silencieuse, c'était déjà plus supportable avec cette voix qui m'enveloppait, qui remplissait la pièce, mais ce n'était pas si pire que ça, me répondais-je, attends un peu, ça va finir par s'arranger, tout finit par s'arranger, attends un peu, me disais-je; et je ne sais pourquoi, ces mots-là me donnaient envie de pleurer, je finissais toujours par pleurer l'après-midi, assise par terre près du fauteuil vide, je pleurais en me disant: attends un peu, ça va s'arranger, je pleurais, sachant que j'allais le faire même si je ne voulais pas, même si je voulais autre chose qu'attendre.

Attendre encore.

Puis c'était venu enfin, une sorte d'espoir, la vie à nouveau possible, c'était venu tout d'un coup; je jouais dans la neige avec Ève-Lyne, avant souper, et j'avais dit: «On va faire un bonhomme de neige, Ève-Lyne, un bonhomme tout en neige, tu vas voir.» Elle s'était mise à rire, tout emmitouflée, la bouche cachée par un épais foulard de laine qui s'enroulait aussi autour de son front et ne laissait à découvert que les yeux, le nez et le haut des joues, elle riait pendant que je roulais des boules de neige auxquelles elle venait ajouter, de temps à autre, les parcelles de neige qui n'avaient ni glissé de ses mitaines ni fondu dans sa bouche; elle riait, excitée, ravie, et je faisais presque tout le travail, m'arrêtant un peu pour lui sourire, lui dire: «C'est bien, Ève-Lyne, continuons, tu vas voir comme il va être beau, notre bonhomme de neige.»

J'étais venue tout près d'ajouter: Papa va être surpris en rentrant, mais je m'étais retenue parce qu'il y avait trop de chances qu'il ne le voie pas, qu'il ne remarque rien, et il aurait fallu demander, à cause d'Ève-Lyne qui n'aurait attendu que ça: «As-tu vu quelque chose de nouveau en arrivant?» Il aurait répondu: «Non, quoi donc?» Et j'aurais alors dû me mettre à montrer, expliquer, raconter, non, je m'étais tue et nous avions continué, moi roulant la neige en boules, Ève-Lyne venant y ajouter de temps en temps les parcelles de neige collées à ses mitaines.

Mais en rentrant ce soir-là, au lieu de se diriger tout de suite vers le salon, Bruno s'était approché d'Ève-Lyne qui commençait à souper, oubliant déjà la neige et tout le reste, et il avait demandé: «C'est toi, Ève-Lyne, qui as fait le beau bonhomme de neige dehors?» Elle avait dit oui, s'arrêtant aussitôt de manger, battant des mains, s'agitant sur sa chaise pendant qu'il continuait, rieur: «J'espère que maman n'a pas trop fait la paresseuse, qu'elle t'a aidée un peu...» et c'était si nouveau, si inattendu que, bien après qu'il soit retourné à son journal et à sa télévision, je restais encore sous l'effet de la surprise, remplie d'une joie dif-fuse, une sorte d'espoir, ce n'était peut-être pas trop tard.

Alors que je sortais rarement, que je ne sortais plus qu'avec Ève-Lyne pour jouer dehors ou faire le marché, j'étais sortie seule, ce soir-là; il faisait doux... «Il fait doux, avais-je dit à Bruno, j'ai envie d'aller prendre l'air, me pro-mener un peu...» et pendant qu'il s'occupait d'Ève-Lyne, j'étais sortie, tout semblait à nouveau possible, ce soir-là, et je m'étais mise à fredonner un air déjà entendu à la radio, le retrouvant peu à peu ou croyant le retrouver et l'inventant à mesure que je marchais; et chemin faisant, je croisais des gens que je regardais droit dans les yeux, à qui je souriais presque, qu'est-ce qui allait arriver? quelque chose allait sûrement m'arriver ce soir, mais les gens passaient, pressés, indifférents, attendus quelque part sans doute, ils se dépêchaient, me regardant à peine ou ne me regardant pas du tout, il faisait doux et je marchais en fredonnant cet air retrouvé, ou inventé au fur et à mesure, quand l'idée m'était venue tout d'un coup, je savais ce qui devait arriver, j'allais le rencontrer ce soir.

Et d'un pas résolu je m'étais rapprochée de la rue où Julien habitait, avec le désir, non de passer devant sa maison, voir ses fenêtres éclairées, deviner sa silhouette peut-être, mais de me promener seulement, de marcher dans les rues avoisinantes et, qui sait? il faisait doux, il aurait peut-être envie de sortir, à moins qu'il n'ait besoin d'acheter des cigarettes ou un journal, il sortirait, marcherait lui aussi dans l'air doux et nous tomberions soudain nez à nez, l'un sur l'autre, Julien et moi, et ce ne serait plus comme au téléphone, ce serait différent, il y aurait entre nous toute cette mémoire et cette chaleur revenues, je me serrerais contre lui sans un mot et nous resterions comme ça, n'ayant plus envie ni de parler ni de bouger.

Je m'étais promenée longuement dans les rues autour de sa maison, finissant par avoir froid et continuant quand même, je marchais, attendant que je ne sais quoi se passe, mais rien n'arrivait et je commençais à avoir peur; il était tard, il faisait noir, j'étais seule dans ces rues et, malgré tout, je ne voulais pas rentrer, j'aurais voulu ne jamais rentrer, me promener dans ces rues jour et nuit jusqu'à ce que Julien passe enfin.

Il n'était rien arrivé, ce soir-là, rien n'arriverait plus maintenant.

Lorsque j'étais rentrée, grelottante, la tête basse, Bruno avait dit: «Il était temps, je commençais à m'inquiéter.» Et c'était drôle tout à coup d'imaginer Bruno s'inquiétant, s'inquiétant de moi, si drôle que j'avais éclaté de rire, un fou rire incontrôlable, interminable, qui résonnait partout, je riais, j'en avais mal au ventre! «Tu es fatiguée, ma pauvre Élaine», avait-il dit à la fin, excédé, et ça m'avait suffi, j'avais cessé aussitôt... fatiguée, oui je suis fatiguée, il a raison, je dois me reposer, me coucher et me reposer tout de suite...

Mais je ne pouvais pas dormir, j'avais encore froid et peur comme dans la rue tout à l'heure, ça ne me quittait pas et, faisant semblant de m'assoupir, j'avais attendu que Bruno se couche, se tourne et se retourne un peu dans le lit puis s'endorme enfin; lorsque j'avais entendu son souffle régulier, je m'étais levée pour redescendre, ouvrir une bière, boire un peu, vidant deux, trois, quatre bouteilles l'une après l'autre, buvant ce qu'il fallait pour que la peur et le froid me laissent, juste ce qu'il fallait pour remonter et, me jetant sur le lit, m'endormir aussitôt.

«Elle était désorganisée», disait Luc; tous l'écoutaient et sa voix tranquille, dans cette salle, m'avait soudain rappelé l'église, les messes et les sermons de mon enfance; j'avais souri, me reprenant aussitôt, me disant que ce n'était pas la place, et maintenant que je me retenais de sourire, le souvenir s'imposait encore, ce souvenir et cette impression surtout, la même impression d'être tout à fait étrangère à ce qui se disait là: on ne parlait pas de moi, on parlait d'autres gens, d'autres choses, de choses lointaines et un peu mystérieuses qui ne me concernaient pas mais qu'il me fallait écouter quand même.

Et j'écoutais.

Luc disait: «Elle ne tuait pas sa fille», et pendant que le juge, comme tout le monde dans la salle, attendait la suite, il continuait de la même voix: «Elle détruisait la partie d'elle-même qu'elle...», et on commençait à être moins bien dans cette salle, il faisait chaud, où voulait-il en venir? il fallait faire attention, se méfier, ne pas trop en dire, ils en savaient déjà assez comme ça, le reste ne les regardait pas, mais qu'est-ce qui prenait à Luc de dire ces choses, de faire ces confidences au beau milieu d'une salle pleine d'inconnus?

«... Brimée», disait-il; il y avait eu un long silence et j'avais baissé les yeux, me disant: ça va aller, c'est fini, ils vont passer à autre chose; mais l'avocat avait bientôt rompu le silence: «Pouvez-vous nous donner des preuves, ou plutôt des exemples, de ce que vous avancez là?...» Je savais maintenant que ça ne leur suffisait pas, qu'ils en voulaient plus et je savais aussi que Luc parlerait, qu'il donnerait des noms, des lieux, des faits, qu'il dirait tout; je ne voulais pas entendre ça, je voulais sortir, on n'était pas bien dans cette salle, il faisait trop chaud.

«Ça va être difficile pour toi d'entendre ça, disait Luc la veille, prépare-toi, tu vas avoir besoin de tout ton courage.» Je ne l'écoutais pas vraiment, prêtant peu d'attention à ses paroles, n'ayant d'yeux que pour la peinture qu'il avait apportée et collée au mur en entrant, une étrange peinture: du bleu, du vert, un peu de jaune, des taches, des lignes mais aucune forme précise. «Ils diront ce qu'ils voudront, on va embellir un peu cet endroit», avait-il dit en sortant le papier collant de sa poche; j'avais dit: «C'est très beau», il avait souri, comme si le compliment lui était adressé, et répondu: «Oui, c'est de quelqu'un que je vois de temps en temps comme toi, je savais que ça te plairait...» et j'avais alors songé: quand tout ça sera fini, je recommencerai à dessiner et je lui apporterai un dessin moi aussi.

Mais ce n'était pas fini, ça continuerait demain, ce serait son tour demain de venir dans la grande salle pour répondre aux questions de l'avocat, et il disait: «Ton avocat veut tout faire pour t'éviter l'emprisonnement, il croit que tu as de bonnes chances d'obtenir une ordonnance de probation, ça serait bien pour toi, pas de prison, mais ça ne se fera pas tout seul, il y a une accusation de meurtre avec préméditation à réfuter, et il a besoin de moi pour ça, les choses que je sais, qu'on sait toi et moi... tu m'écoutes? tu me suis, Élaine?»

Je n'écoutais pas vraiment, fascinée par la peinture collée au mur, tout ce bleu, ce vert et ces taches, ces lignes, formes imprécises, malléables, dont on pouvait faire ce qu'on voulait, et j'en faisais des montagnes, des grottes, des torrents, il y en avait plein le mur et, s'y déplaçant, s'y bataillant, s'y terrant, d'étranges bêtes jaunes sur lesquelles pesait une sorte de malédiction, j'étais seule à le savoir, seule à pouvoir les sauver, il me fallait vite les nommer, leur trouver un nom, un nom à chacune avant que...

— Écoute, c'est important, disait Luc, va falloir que je raconte beaucoup de choses, des choses personnelles, que je donne des détails sur toi, ta vie, les gens autour de toi à ce moment-là, je suis le mieux placé pour ça, ton avocat ne ménagera pas ses questions, va falloir que je réponde, ça va être difficile pour toi d'entendre ça, je te préviens, un dur moment à passer... tu me suis?...

Je ne suis pas capable, me disais-je en repoussant le bloc de papiers et les crayons au bout de la table, ça ne servait à rien, je ne pouvais pas ce soir-là; Bruno assistait à une partie de hockey avec des amis, Ève-Lyne dormait dans sa chambre, j'étais seule, j'avais tout le temps de dessiner mais j'en étais incapable, depuis quelque temps plus rien ne venait; il était encore tôt, peut-être vingt heures, quand j'avais repoussé papiers et crayons pour ouvrir une bière et, tout en buvant, je ne pouvais empêcher Julien de revenir peu à peu: la main collée au ventre de sa femme, il rêvait à haute voix...

Je me bouchais les oreilles, je ne voulais pas entendre ce qu'il disait.

J'ouvrais une autre bière, je ne voulais pas savoir mais je le savais déjà, ce serait un garçon: «Oui un garçon, on nous l'a dit à l'échographie», m'avait-il appris à son dernier téléphone.

Et dans sa maison ouateuse, la main sur le ventre de sa femme, il caressait la tête du garçon, l'invitant déjà à des promenades, des parties de pêche, des discussions d'homme à homme pendant que seule, incapable de dessiner, j'avais de plus en plus mal à la tête et, regardant les bouteilles vides sur la table, je me disais: quand Bruno va rentrer... mais ça n'avait pas d'importance, il rentrerait après, plus tard, quand j'aurais tout rangé, il rentrerait, se coucherait, se lèverait au matin pour aller travailler, et demain serait une journée comme aujourd'hui, une journée comme les autres, toutes des journées semblables l'une après l'autre, ça ne finirait jamais, ce serait sans fin des journées les unes comme les autres, à la queue leu leu, interchangeables; j'avais mal à la tête et je buvais, bière et larmes mêlées, ça n'avait pas de bon sens... pas de bon sens, il faut s'en aller, partir au plus vite, partir avec Ève-Lyne, vite avant que Bruno ne revienne, que ça recommence, que ça continue, vite.

...

— **J**'ai envie d'un autre café, dit Marcelle, se levant et s'étirant. En veux-tu?

— S'il te plaît.

Elle ramasse sa tasse vide.

— Le café m'empêche de bien dormir, dit-elle en s'en allant d'un pas lent vers la cuisine. Mais ça m'est égal, continue-t-elle de là, sans que j'aie besoin de tendre l'oreille, l'entendant aussi bien que si elle était encore dans la même pièce. Ça ne change pas grand-chose... après tout ce que je viens de lire, j'aurais de la misère à dormir, même sans café.

Elle passe la tête dans l'embrasure de la porte, comme pour s'assurer que je suis toujours là, que je la suis toujours, dit: «C'est révoltant ce qui se passe là-bas», et disparaît aussitôt, mais sa voix continue: «Il y a quelqu'un qui écrivait dans le journal, il n'y a pas longtemps, qu'au Salvador les pays étrangers fournissent les armes, et le peuple salvadorien fournit les morts. Ça résume bien... qu'est-ce que t'en dis?»

Je ne réponds pas. Je ne réussis qu'à m'embrouiller dans toutes ces histoires politiques, histoires de guerre et de pouvoir, je n'y vois pas clair, elle le sait bien, ou plutôt je n'y vois pas la même chose qu'elle, j'y vois toutes sortes de choses grinçantes, grouillantes, voilées, sur lesquelles je n'arrive pas à mettre un nom ou qui changent de nom si souvent selon les circonstances que je ne sais plus très bien ce qu'elles sont, alors que Marcelle, qui voit surtout les armes, le sang et les morts, sait de quoi elle parle.

Je ne dis rien. Marcelle revient avec les deux cafés.

— Là-bas, c'est comme partout, reprend-elle. C'est toujours la même vieille histoire de ceux qui jouent et ceux qui en font les frais.

Elle le dit sans sourciller, un peu triste peut-être mais ça ne paraît pas trop, elle en a vu d'autres dans son travail, elle en connaît long sur la misère, toutes les sortes de misère, c'est comme ça, et elle reprend sa lecture là où elle l'avait laissée.

Je bois un peu de café. Je regarde mon livre par terre sans me décider encore.

Les dernières partaient, elles étaient deux ou trois sur le seuil se retournant et disant: «Bonjour, Irène, à jeudi», lorsque je m'étais approchée d'elle et lui avais demandé si je pouvais l'aider; elle avait paru surprise, c'était la première fois que je ne partais pas avec les autres sitôt le cours fini, partant même parfois la première, partant même parfois sans saluer (sans dire, sans oser dire: «À jeudi», parce que je ne savais pas, les premiers temps, si je reviendrais, d'un cours à l'autre je ne savais pas); surprise un moment, hésitante, puis se reprenant aussitôt, elle avait dit joyeusement: «Merci, ça ne se refuse pas, si tu veux tu pourras peut-être...» et dans le local en désordre, je l'avais aidée à replier les chevalets, à les empiler contre le mur, à ranger feuilles, crayons et fusains sur les tablettes.

«Il faut toujours se presser, disait-elle tout en s'affairant, parce qu'il y a un autre cours après le mien, une demi-heure après... un cours de personnalité féminine», avait-elle précisé avec un drôle de sourire, me regardant et attendant je ne sais quoi, une réponse à son sourire ou un commentaire peut-être, mais je n'avais rien dit et, lorsqu'il n'y avait plus eu rien à faire, elle s'était exclamée en riant: «On a battu tous les records, ça n'a jamais été aussi vite.» Je ramassais mon sac, je me préparais à partir quand elle avait ajouté: «Tu mérites de te reposer un peu, viens t'asseoir en attendant que les premières arrivent.»

J'avais laissé mon sac et je m'étais assise sur un tabouret près d'elle, gênée tout à coup, ne sachant trop de quoi parler, et elle, comme si elle n'attendait que ce moment, comme si elle avait toujours su que ce moment viendrait un jour ou l'autre et s'y était préparée (mais sans doute n'était-ce pas prémédité, était-ce venu spontanément), elle avait dit: «Je suis contente d'avoir l'occasion de te parler... je veux dire seule à seule, en dehors des cours, des autres... je suis très satisfaite de ton travail, Élaine... pas seulement satisfaite, comment dire? surprise... oui, c'est personnel ce que tu fais en dessin, différent, plus poussé, plus recherché que les autres... presque professionnel... T'as déjà suivi des cours avant?»

J'avais dit: «Rien depuis les cours d'arts plastiques obligatoires au secondaire»; elle avait fait les yeux ronds et m'avait dit ensuite que j'avais du talent, des possibilités et qu'il fallait les développer, m'en servir, que tout ça pouvait me mener loin; je l'écoutais sans étonnement, me disant: enfin, comme si j'avais attendu ces paroles, et cette sorte de bien-être qui venait en même temps, depuis longtemps; quand elle s'était tue, j'avais ouvert la bouche, prête à parler à mon tour, rassurée, conquise, à parler des derniers temps, des dessins sur la table de la cuisine pendant qu'Ève-Lyne dormait, mais je m'étais retenue au dernier moment, me disant: qu'est-ce qui me prend? ça n'a rien à voir ici cette histoire-là, c'est autre chose, c'est ailleurs, ça n'a rien à voir.

«Oui, quoi?» avait demandé Irène. «Rien, non non, rien. — Du talent, des possibilités, avait-elle repris, j'ai presque envie de... c'est ça, te changer de cours, te faire passer tout de suite au cours suivant... tu perdrais moins de temps, tu serais plus stimulée... l'idée est lancée, tu peux y penser...»

Elle s'arrêtait parfois de parler pour me regarder, avec son drôle de sourire qui semblait appeler, attendre une réponse, et je me disais: quarante ans, quarante-cinq peut-être, ne sachant rien d'elle à part cet âge approximatif et l'amour (plus que l'amour, la passion) de son travail, qu'elle venait partager avec nous deux après-midi par semaine, ne sachant rien de ce qu'il y avait d'autre dans sa vie et sentant tout à coup une pressante envie de savoir, de rompre le silence et de demander... mais ça ne se posait pas, cette question comme ça de but en blanc, pas plus que je ne pouvais de but en blanc me mettre à parler d'Ève-Lyne, et nous restions assises l'une près de l'autre, silencieuses, elle se demandant peut-être aussi ce qu'il y avait d'autre dans ma vie, ou ne s'y arrêtant même pas et songeant à toute autre chose, au livre qu'elle allait...

Et se levant, Irène s'était dirigée vers l'étagère et y avait pris, sans même avoir besoin de le chercher, un livre qu'elle m'avait tendu: «Tiens, je te le prête, ça peut t'intéresser... tu m'en reparleras la semaine prochaine... et n'oublie pas ce que je t'ai dit, c'est sérieux.»

Je n'oubliais pas, c'était là, ça me trottait par la tête pendant que je rentrais à pied, son livre à la main, déjà impatiente de le lire et de lui en parler, de lui reparler de tout mais peu à peu, à mesure que je marchais, la crainte prenait sa place là-dedans et j'avais fini par me dire: si elle essaie de savoir? si elle questionne? pendant que je l'aiderai à ranger après le cours, si elle demande soudain: «As-tu des enfants, Élaine?...» je ne saurai jamais quoi lui dire.

C'était son jeu préféré.

Elle venait vers moi, disait: «Maman, joue à cachette, oui à cachette, maman», et elle trépignait, battait des mains, dansait autour de moi, m'entraînant sans même que j'aie le temps de protester; en un clin d'oeil, j'étais surprise, assaillie, gagnée, et je la suivais, moi qui, l'instant d'avant, encore assise sur le tapis, la croyais tout occupée à jouer avec des blocs dans la pièce d'à côté.

Occupée pour longtemps tandis qu'au salon, assise au pied du fauteuil vide, je fixais le téléphone, incapable de faire autrement et ne cessant de me dire: il va téléphoner, il va le faire, en même temps que je songeais à Pluche qui n'était plus là, ne serait plus jamais là, couchée en boule sur le fauteuil, rousse, chaude et ronronnante; il allait téléphoner, d'un instant à l'autre la sonnerie allait retentir, je courrais aussitôt, je décrocherais et ce serait sa voix au bout du fil, une voix lente, hésitante, qui dirait: «J'ai été brusque au téléphone la dernière fois... je suis fatigué ces temps-ci... les préparatifs pour le bébé, tu comprends, ça m'énerve... il y a toutes sortes de choses à penser, mais tu avais raison, Élaine, on ne se voit pas assez souvent...» (je n'aurais pas encore dit un mot, je l'aurais laissé parler tout ce temps, il y aurait alors un silence, je retiendrais mon souffle, n'osant rien faire de peur que... et il reprendrait, un peu gêné:) «j'ai envie de te voir, ces jours-ci.»

Ça se passerait comme ça et j'attendais, assise au pied du fauteuil vide, regrettant le temps où Pluche m'écoutait à travers ses ronrons et ne quittant pas le téléphone des yeux puisqu'il me semblait que, de cette attention sans relâche, dépendait tout... et il y avait eu soudain cette petite tête brune et rieuse, cette danse joyeuse autour de moi: «Maman, joue à cachette, oui oui», mais je ne m'étais pas levée tout de suite, je restais là, encore un peu perdue, pendant qu'elle chantait: «Oui oui à cachette, oui oui», sur un air de son invention, me tirant la main et essayant de me lever, de m'emmener.

C'était son jeu préféré et lorsque je me levais, que je disais: «Ça va, on commence», elle se mettait à applaudir ou à crier de joie.

Je disais: «Va te cacher, je compte jusqu'à vingt;» elle ne savait pas compter, ce n'était qu'une formule, la formule magique qui ouvrait le jeu, et aussitôt que j'avais dit: jusqu'à vingt, elle détalait, disparaissait, pendant que je commençais à compter, prenant mon temps, comptant sans me presser afin de lui donner toutes les chances; quatre, cinq... je l'entendais courir un peu partout, brouillonne, excitée, si excitée qu'elle ne faisait rien pour atténuer le bruit de ses pas de sorte que je pouvais la suivre au son, savoir pas à pas où elle allait: elle avait monté l'escalier... neuf, dix... elle entrait dans ma chambre, se dirigeait vers la droite, s'arrêtait un moment puis courait vers la porte de la garde-robe et la refermait sur elle; on n'entendait plus rien.

— Vingt, prête pas prête j'y vais... tu as entendu, Ève-Lyne? j'y vais.

Elle était cachée dans la garde-robe de ma chambre, je le savais, mais je n'y allais pas tout de suite, sachant aussi que son plus grand plaisir commençait à ce moment même où, blottie dans sa cachette, elle m'entendait marcher dans la maison, la chercher partout, et alors, se recroquevillant, prenant le moins de place possible, craignant à tout instant de se trahir, elle se fondait presque aux objets autour d'elle... voilà ce qu'elle aimait surtout, cette excitation mêlée de crainte, et je prolongeais mes recherches, je me promenais partout, faisais le tour de chaque pièce, nonchalamment, commençant par les pièces d'en bas et parlant en même temps, parlant assez fort pour qu'elle m'entende: «Ah! la petite chenapan, elle s'est bien cachée, où est-ce qu'elle peut être?... pas moyen de la trouver... ah! ah! ici peut-être... personne, à moins que... je le sais, derrière la porte... pas là non plus, elle s'est bien cachée, la maligne, mais je vais la trouver quand même... ah! oui je vais la trouver...»

Je parlais haut et il me semblait entendre des rires étouffés venant de la chambre; je me décidais alors à monter l'escalier et lorsque je n'avais plus le choix, qu'il ne me restait que cette pièce à visiter, j'entrais dans ma chambre; je perdais un peu de temps à regarder là où elle n'était pas, derrière la porte, sous le lit, disant: «Elle ne doit pas être bien loin, la petite futée, je vais la trouver», et l'imaginant se serrer, se faire toute petite au fond de la garde-robe; j'approchais, j'étais tout près, je pouvais ouvrir, elle devait retenir son souffle, et tout à coup j'ouvrais très vite la porte de la garde-robe, elle poussait un cri strident, je sursautais et presque au même moment elle se mettait à rire.

«Encore», finissait-elle par dire au bout de son rire, «encore», quand elle s'était calmée.

Cette fois c'était à mon tour de me cacher, chacune son tour c'était le jeu, elle commençait à compter mais ce que j'entendais ne ressemblait à rien de familier, c'était un curieux mélange de mots connus et inconnus qui se suivaient n'importe comment, elle comptait à sa façon et j'aurais pu continuer à jouer avec elle, me glisser sous le lit ou derrière un fauteuil, compliquer un peu les choses pour l'amuser mais je n'avais déjà plus envie de jouer et je me cachais derrière la première porte venue; je l'entendais crier, elle s'en venait et je l'attendais sans bouger, indifférente, ne jouant déjà plus, me demandant si Julien allait téléphoner, quand il allait le faire et n'étant plus sûre de rien.

Mais le téléphone ne sonnait plus, l'après-midi.

Et j'étais incapable de dessiner sur le coin de la table pendant qu'Ève-Lyne dormait, incapable de m'endormir le soir, incapable d'arrêter de boire la nuit dans la cuisine, je le voyais tout ce temps, mais la nuit surtout, quand je buvais dans la cuisine sombre, me disant: une autre et je vais pouvoir monter et je vais pouvoir dormir, rien qu'une autre, je le voyais alors avec elle, je les voyais tous les deux au lit comme chaque soir, allongés l'un près de l'autre et conversant: ils en avaient pris l'habitude depuis quelque temps, ils se couchaient plus tôt et parlaient ensemble en attendant le sommeil, parlaient de leur journée, du bébé, de l'avenir, de tout ce qui les rapprochait, et un soir l'un d'eux, elle ou lui, avait dit en riant: «On aurait dû penser à faire ça avant, tout le temps qu'on a perdu...» et un autre soir qu'ils étaient en veine de confidences, elle avait tout à coup demandé: «Et des aventures, Julien? ça a dû t'arriver, une ou deux aventures, non?...» le questionnant d'un air amusé, l'air de ne prendre rien de tout ça au sérieux.

Et lui, gentil, complaisant, ou même pas, ou tout juste oublieux (à cause du gros ventre, à cause du petit garçon qui s'en venait et, avec lui, les promenades dans le bois, les parties de pêche, les discussions d'homme à homme), lui, mentant, trahissant, réduisant tout en miettes, répondait: «Une ou deux aventures... comme n'importe quel homme... pas plus important que ça... Oh! je le sens bouger, il bouge, il va être remuant ce petit garçon-là.»

Buvant ma bière dans la cuisine et n'arrivant pas à m'endormir ce soir-là, comme les autres soirs, et n'arrivant pas à dessiner non plus, ayant repoussé depuis longtemps feuilles et crayons, je le voyais et je l'entendais nier, tout nier distraitement.

... Des menteurs, des voleurs, des traîtres, c'est dangereux, Ève-Lyne, il y en a partout, dissimulés, bien déguisés, ils sont partout mais n'aie pas peur, on va s'en aller, on va se cacher, on va être bien, rien que nous deux... viens Ève-Lyne, viens mon bébé.

...

— **C**omment ça se fait que tu veilles avec moi? demande Marcelle, comme si ma présence dans la pièce avait tout à coup quelque chose d'insolite. Tu n'as pas l'habitude de te coucher plus tôt?

— C'est ce livre, dis-je en me penchant pour ramasser le livre par terre.

Elle dit: «Tiens tiens», sourit, se prépare à ajouter autre chose mais, se ravisant, elle retourne à sa lecture.

C'était un jeu, une sorte de jeu, et personne pourtant ne souriait; ils avaient tous l'air sérieux et disaient: «Ma cliente...» «votre cliente», comme s'ils n'avaient jamais su mon nom.

Il y avait eu un court silence, l'avocat moustachu avait alors demandé à Luc: «Que pensez-vous d'une sentence d'emprisonnement pour ma cliente?» et j'aurais pu à ce moment-là me lever et répondre à la place de Luc, je savais ce qu'il en pensait, l'avocat le savait aussi, ils en avaient parlé ensemble, il n'y avait peut-être que le juge à ne pas savoir, c'était le jeu, et pour le juge qui n'était pas au courant, qui n'avait pas pris part aux discussions, Luc s'était mis à parler.

— Vu l'état de désorganisation où elle se trouvait au moment du drame, disait-il, son besoin immédiat consiste à recouvrer son autonomie, la raffermir... nous travaillons dans ce sens depuis quelque temps... et je soutiens qu'une sentence d'emprisonnement à ce moment-ci nuirait considérablement, pour ne pas dire irrémédiablement, à nos efforts.

Luc s'était tu, l'avocat moustachu regardait le juge d'un air satisfait et je revoyais...

J'essayais de vivre sans rien attendre, ni téléphones ni rencontres, et je croyais réussir, j'y étais presque, certains jours: Ève-Lyne m'accaparait, je jouais dehors avec elle, j'allais faire le marché, j'improvisais de longues promenades et, de retour à la maison, je n'avais pas le temps de m'asseoir, et ces jours-là je croyais avoir réussi, gagné la partie, mais bientôt la vie de tous les jours reprenait le dessus, je ne savais plus quoi faire, quoi inventer, et je recommençais alors à attendre, me disant que ce n'était pas perdu, qu'il devait y avoir un moyen.

Un moyen de ramener Julien.

Je venais à peine de coucher Ève-Lyne, cet après-midi-là, que je sortais en vitesse feuilles et crayons, c'était si simple, comment n'y avais-je pas pensé plus tôt? j'allais dessiner quelque chose de grandiose, d'éblouissant, Julien en aurait le souffle coupé, un projet d'exposition comme il m'en parlait souvent, voilà, j'allais me mettre à l'œuvre, faire d'abord les esquisses et lui téléphoner ensuite. J'ai commencé une série de dessins en vue d'une exposition, lui dirais-je l'air de rien, ça s'annonce bien, ça me satisfait, j'aimerais bien avoir ton avis avant d'aller plus loin; je lui parlerais comme ça, avec ces mots-là, d'une voix neutre, contenue, et il se dirait: pas de danger, tout a l'air calme, et il dirait: Oui bien sûr, si ça peut te rendre service; il accepterait sans peine, curieux, peut-être même flatté.

Mon carton à dessin sous le bras, j'irais le rencontrer au café où il m'aurait donné rendez-vous; il prendrait le temps de bien regarder mes dessins, d'examiner chacun longuement, et ce serait un travail hors de l'ordinaire, si réussi qu'il en resterait subjugué, un instant à court de mots, et tout de suite après conquis, ému, me serrant fort, il bredouillerait: Dire que j'ai pu...

Et pendant qu'Ève-Lyne dormait dans sa chambre, cet après-midi-là, je voyais et revoyais la rencontre telle qu'elle se déroulerait; assise, feuilles et crayons à portée de la main, j'imaginais la scène en détail, chaque moment de la scène, et surtout ce moment où, levant les yeux, me regardant et me serrant, il disait: Dire que j'ai pu... je faisais marche arrière et je repassais toujours ce même moment parce qu'il me remplissait, chaque fois, de contentement.

Feuilles et crayons à portée de la main, j'allais me mettre au travail, d'un instant à l'autre entreprendre ces dessins, ce projet d'exposition qui devait me ramener Julien, et c'était si agréable d'évoquer nos retrouvailles que j'y revenais sans cesse, retardant l'instant de commencer, l'instant de la première feuille, du premier trait, me disant: rien ne presse, il faut laisser l'idée mûrir.

Il y avait eu deux ou trois de ces après-midi, des après-midi heureux, des après-midi entiers à contempler feuilles et crayons sans les voir, voyant à travers eux tout autre chose, revoyant pour la cinquantième ou centième fois la scène de ma rencontre avec Julien, et s'il y avait d'une fois à l'autre des variations, un geste ou une attitude un peu modifiés, la fin demeurait chaque fois la même; deux ou trois après-midi à tourner et retourner cette scène.

Assez rêvé.

Je venais tout juste d'aller coucher Ève-Lyne et, redescendant l'escalier, je m'étais dit: assez rêvé, c'est le temps maintenant, le temps ou jamais, et voilà que ma main tremblait sur le papier, je n'arrivais pas à contrôler mon geste, le trait m'échappait, et j'avais fini par y renoncer, me levant, ouvrant une bière, me disant: une bière, ça va m'aider comme ça m'aide le soir à m'endormir, rien qu'une pour me détendre, pour mieux dessiner.

Mais je n'avais pas retrouvé la fermeté de la main et du geste, la bière n'y changeait rien, j'étais incapable c'est tout, incapable de dessiner comme avant, incapable de quoi que ce soit pour ramener Julien, et où avais-je été chercher une idée pareille? cette idée folle qu'il suffisait de quelques bons dessins pour le faire revenir alors qu'il avait choisi depuis longtemps, choisi, préféré le bébé dans le ventre de sa femme, préféré à mes dessins, à tous les dessins du monde; il avait suffi que le bébé s'annonce, et même pas un bébé, et bien avant le bébé, un embryon, un germe, une graine de rien du tout, invisible à l'œil nu, il avait suffi de cette chose accrochée quelque part dans le ventre de sa femme, chose insignifiante, moins vivante que n'importe quel brin d'herbe, cette chose qui pouvait disparaître à tout moment sans laisser de trace ni rien changer, il avait suffi de ça dans son ventre à elle, et il avait suffi qu'elle dise ensuite: C'est là..., pour que Julien m'écarte d'un geste, de quelques mots, moi et toute notre histoire, et tout ce qui pouvait venir encore.

Mes dessins et tous les dessins du monde n'y changeraient rien.

Mais ça ne se passerait pas comme ça; j'avais re-

poussé feuilles, crayons et bouteilles vides d'un mouvement brusque, j'allais partir, je le savais maintenant, ce
n'était pas clair, pas encore un projet mais un désir plutôt,
en même temps qu'une soudaine évidence: j'allais partir et
emmener Ève-Lyne; où? quand? comment? je n'en savais
rien, on verrait, ça viendrait plus tard, il serait toujours
temps.
    Partir.
    Et un soir, l'un des derniers soirs, se retournant vers
moi dans le lit, Bruno avait dit: «Sais-tu à quoi je jongle?...
Ève-Lyne a presque deux ans... si on veut un autre enfant,
ça serait le temps d'y penser.» Il avait ajouté en riant: «On
pourrait s'essayer pour un garçon cette fois-ci.» Je n'avais
rien répondu mais je souriais dans le noir, il pouvait avoir
tous les enfants qu'il voulait, ça ne me concernait plus.

    Je ne savais trop ce qui se passait, ce qu'ils faisaient
là, mais la nuit, ma chambre se remplissait d'enfants.
    C'étaient les premiers temps de ma vie chez Marcelle,
je me réveillais chaque nuit, au milieu de la nuit, et les
enfants étaient réunis dans ma chambre, vivants, rieurs et
remuants; j'étais contente qu'ils soient là, c'était moins
triste, et parmi tous ces enfants, cet incessant mouvement
de jambes, de bras, de têtes autour de moi, Ève-Lyne
m'apparaissait soudain, elle était venue, elle était là aussi
et jouait avec Pluche, qui n'était ni éventrée au bord du
trottoir ni puante et pourrie dans sa boîte de carton mais
vive, ronronnante à nouveau; ce n'était plus comme à la

maison quand Pluche ne voulait pas faire la poupée, fuyait, se cachait, qu'Ève-Lyne la cherchait partout en pleurnichant et que je devais la consoler, caressant sa tête brune et disant: «C'est une chatte, Ève-Lyne, pas un jouet, on ne peut pas l'empêcher de bouger...», c'était différent, je n'avais plus besoin de consoler Ève-Lyne maintenant, elle était toujours gaie la nuit dans ma chambre, Pluche jouait toujours avec elle, et elles se promenaient toutes deux parmi les autres enfants, couraient l'une après l'autre ou jouaient à la cachette.

Et si je les appelais, essayant de leur parler, de leur dire d'approcher, elles n'entendaient jamais, prises par leurs jeux sans doute, elles ne semblaient pas me voir, ne s'occupaient pas de moi, et j'essayais pourtant, j'essayais encore, je haussais la voix, j'appelais plus fort, je voulais m'amuser avec elles, me mêler à leurs jeux; je cherchais à me lever mais j'en étais incapable, rivée au lit par je ne sais quoi d'impalpable, il n'y avait que ma voix qui pût les atteindre et j'appelais plus fort encore, je voulais les voir près de moi, les toucher, partager leurs jeux mais j'avais beau crier et me démener, elles n'entendaient rien.

Je passais le reste de la nuit, clouée au lit, appelant Ève-Lyne, criant son nom, et il me semblait à tout moment qu'elle allait m'apercevoir, me reconnaître, courir vers moi, et on se roulerait toutes les deux dans le lit, on rirait, enfin réunies, et je la serrerais fort, l'embrasserais partout, on serait bien et on finirait par s'endormir, bien au chaud sous les couvertures, Pluche pelotonnée contre nous.

C'est ça que je voulais, c'est pour ça que je criais, la

nuit, mais j'avais beau appeler et crier, elle m'ignorait; et parfois je criais trop fort.

J'avais dû crier trop fort, tous les enfants étaient partis d'un coup et Marcelle se tenait debout en pyjama près du lit, demandant d'une voix inquiète: «Est-ce que ça va? as-tu besoin de quelque chose?...» Tous les enfants étaient partis, c'était triste, et je disais: «Non, non, j'ai pas besoin, j'ai besoin de rien.»

...

— **S**ais-tu ce que je me demande? dit Marcelle en relevant la tête.

Je bâille, le sommeil commence à me gagner.

— Tu te demandes si tu vas finir ton livre ou attendre demain.

— Non, pas ça... je n'ai pas envie d'attendre demain... et puis j'ai presque fini, j'en suis aux dernières pages... non, je me demande si les gens ont une idée de tout l'argent qui est investi dans cette guerre.

Elle reste un instant silencieuse, pensive.

— On devrait faire lire ce livre à tous ceux qui ne viennent pas à la manifestation, ça pourrait les faire changer d'idée... à quelques-uns en tout cas... Mais je ne dis pas ça pour toi. Tu dois avoir tes raisons de ne pas venir.

Elle n'a pas fini de parler et je sais déjà que, dans les prochains jours, son livre traînera un peu partout dans l'appartement, déplacé d'un endroit à l'autre, d'un jour à l'autre, mais, comme par hasard, toujours aux endroits les plus visibles; je sais aussi que je ne l'ouvrirai pas et qu'au bout de quelque temps il disparaîtra dans un tiroir ou une étagère de sa chambre, comme si elle n'y était pour rien.

Il devait bien y être pour quelque chose mais je n'avais pas posé la question tout de suite, je m'étais assise et, pendant que je regardais tout autour de moi dans ce bureau où je le rencontrais pour la première fois depuis le procès, il avait demandé: «Eh bien, comment te sens-tu maintenant?»

J'avais répondu: «Je ne sais pas, je ne suis pas sûre... je m'attends toujours à voir quelqu'un arriver et dire qu'il se sont trompés, que je dois retourner là-bas.» Il avait dit: «C'est impossible, le jugement est rendu» et j'avais dit, alors: «Je ne comprends pas pourquoi ça s'est passé comme ça, pourquoi le juge a décidé de... il aurait pu... tu dois bien y être pour quelque chose.»

— Elle était désorganisée, disait Luc, et sa voix remplissait la salle silencieuse pendant que le juge, attentif, l'écoutait sans brocher, sans jamais s'étonner.

Ce juge, que je m'étais mise à mieux regarder, cet homme d'un certain âge, aux cheveux grisonnants, devait avoir des enfants, des petits-enfants et parmi eux, qui sait? une petite-fille du même âge qu'Ève-Lyne: elle avait le même âge et s'appelait Amélie ou Élodie, ou portait un autre de ces anciens noms redevenus à la mode, un de ces noms que portaient les petites filles de son temps, et ça le faisait sourire chaque fois qu'il disait ou entendait son nom, ça lui rappelait le temps où les petites filles... et où lui-même petit garçon...

Tout en écoutant parler le témoin, il revoyait sa petite-fille, petite Amélie ou Élodie, blonde, remuante, et il se demandait quel âge elle pouvait avoir maintenant, presque deux ans, se disait-il, presque le même âge que cette autre petite fille dont on était en train de parler.

— Elle ne tuait pas sa fille... dans l'état de désorganisation qui était le sien à ce moment-là, elle ne tuait pas sa fille, elle détruisait la partie d'elle-même...

Le juge écoutait, voyant au même moment se dérouler la scène, voyant de plus en plus nettement: c'était un couteau, un couteau de cuisine dans la main de la femme, et la femme montait l'escalier, ouvrait une porte, s'approchait du lit et s'arrêtait près de l'enfant couchée sur le ventre; sans savoir pourquoi, parce qu'elle avait à peu près le même âge peut-être, ou parce qu'il ne pouvait distinguer les traits de l'enfant endormie là, il voyait la tête blonde d'Amélie ou d'Élodie, il l'imaginait dans ce lit pendant que la femme avec le couteau...

Et voyant cela en même temps que lui, je me disais: tout ça pour rien, tous ces mots, cette histoire fumeuse rapportée ici pour lui alors que ça ne sert à rien, alors qu'il ne peut même pas savoir, même pas comprendre, qu'il ne pourra jamais malgré ces mots, malgré tous les mots du monde, être dans ma peau un seul instant, cet instant où...

Me disant tout ça pendant que Luc continuait à parler, j'attendais le moment où le masque froid, impénétrable, craquerait, où il n'y aurait plus ni juge ni homme de loi mais un bon grand-père voyant le couteau s'enfoncer... et à ce moment, il sortirait un mouchoir pour s'éponger le front ou baisserait la tête, indigné, et dirait comme les autres, comme ceux qui avait écrit, imprimé, distribué, vendu, lu ces journaux où l'on parlait de moi, au moment où il verrait sa petite-fille, sa petite Amélie ou Élodie, le couteau enfoncé... il dirait: «Une autre détraquée, qu'on l'enferme!»

— Ce juge, il aurait pu... tu dois y être pour quelque chose.

Luc avait répondu: «Les juges, c'est comme tout le monde, il y en a des bornés et des compréhensifs... nous on est tombés sur le bon, c'est tout.»

«Pour une fois que je tombe sur le bon», avais-je dit, m'efforçant de sourire; il avait souri aussi: «Oui je sais, on peut parler de ça si tu veux»; j'avais dit oui.

Et chaque fois qu'il dit: «On peut parler de ça si tu veux», je dis oui, même si ce n'est pas très clair, même si je dois commencer chaque fois par chercher mes mots, fouiller dans les vieilles images, démêler le vrai du faux et de l'inventé; parfois je mêle tout ça, parfois j'ai l'impression que ce n'est pas possible, ça ne peut pas s'être passé comme ça, il y a sûrement des bouts de trop, des bouts que j'ai imaginés, ajoutés sans m'en rendre compte, parce que ça n'arrive pas vraiment, ça n'arrive pas comme ça, ces histoires-là.

Je ne sais plus, je dis: «C'est tout embrouillé», et Luc dit: «On va s'occuper de ça, ce n'est pas si compliqué, veux-tu qu'on commence par parler de cette journée-là, cet après-midi-là quand tu t'es arrêtée au bord du trottoir.»

...

— **F**ini! dit Marcelle sur un ton de victoire. Fini!
Elle ferme son livre, le pose par terre.

— Bien contente de l'avoir lu, reprend-elle, ça en valait la peine... et ça me fournit d'autres arguments pour la manifestation. Y a des gens qui n'ont pas fini de se faire achaler, ajoute-t-elle dans un clin d'œil.

(Marcelle qui entrait dans ma chambre, les premiers temps, qui venait, certaines nuits — j'avais peut-être crié trop fort, j'appelais Ève-Lyne mais elle n'entendait pas, elle continuait à jouer avec Pluche et les autres enfants pendant que je criais son nom à tue-tête dans la chambre —, qui se tenait debout près du lit et demandait: «As-tu besoin de quelque chose?» ne reparlant de rien le lendemain, n'en reparlant jamais, si bien que je ne savais plus, que je me demandais... mais elle devait être venue, je sentais encore la chaleur de sa main sur mon front à l'instant où j'avais dit: «Appelle-la, appelle Ève-Lyne, dis-lui de me regarder, juste un peu, dis-lui...» il y avait eu alors sa main chaude sur mon front mais, le lendemain, elle ne reparlait de rien et je ne savais plus ce qui s'était passé).

Elle regarde mon livre, encore ouvert aux premières pages.

— Es-tu en train de le lire une deuxième fois? demande-t-elle, moqueuse.

— Va falloir qu'Irène me le prête plus longtemps. Je n'étais pas capable de lire ce soir, de me concentrer... j'avais trop de choses en tête.

— Quoi? demande Marcelle en s'étirant. Des projets d'exposition?

Je la regarde, étonnée. Elle a l'air sérieuse.

— Non pas ça, j'ai le temps.

— Je sais, dit-elle en se levant, tu cherchais un nom pour la chatte.

— La chatte?

Elle ramasse son livre, sa tasse, et, les mains pleines, se dirige vers la cuisine.

— Oui, la chatte. Tu m'en as parlé tout à l'heure. La chatte que tu veux aller chercher à la Société protectrice des animaux.

— C'est vrai, j'oubliais.

Demain matin, j'achèterai de la nourriture pour chat, j'en mettrai dans un plat en rentrant, je préparerai une litière et je prendrai ensuite l'autobus avec une boîte de carton pour ramener la chatte; je dirai à l'employé de la Société protectrice des animaux: «Je viens chercher une jeune chatte, sevrée.» Il m'en montrera plusieurs et je n'aimerai pas voir tous ces chats en cage, ces chats tournant en rond et miaulant.

«Ils sont mieux ici que dehors par tous les temps», dira l'employé; je dirai: «Oui, je suppose», j'en choisirai une que je mettrai dans la boîte de carton, que je rapporterai ici, et on s'habituera.

On s'habituera à tout, l'odeur, la chaleur, les ronronnements, les miaulements, on s'y habituera.

Demain.

Petits projets petits futurs, il y a un commencement à tout, ça commence, ça grossit, ça finit par prendre de la place, et ça entraîne tout le reste, tous les autres projets, tous les autres futurs.

Demain.

On dit: demain, on n'est pas sûr, on ne sait pas ce que ça vaut mais on dit: demain, ça fait de la musique, ça fait comme si quelque chose ou quelqu'un nous attendait, on dit: demain, et on a moins peur.

CET OUVRAGE
COMPOSÉ EN SOUVENIR RÉGULIER CORPS 12 SUR 14
A ÉTÉ ACHEVÉ D'IMPRIMER
LE SEPT OCTOBRE
MIL NEUF CENT QUATRE-VINGT-CINQ
PAR LES TRAVAILLEURS ET TRAVAILLEUSES DES PRESSES
DE L'IMPRIMERIE GAGNÉ LIMITÉE
À LOUISEVILLE
POUR LE COMPTE DE
VLB ÉDITEUR.

IMPRIMÉ AU QUÉBEC (CANADA)